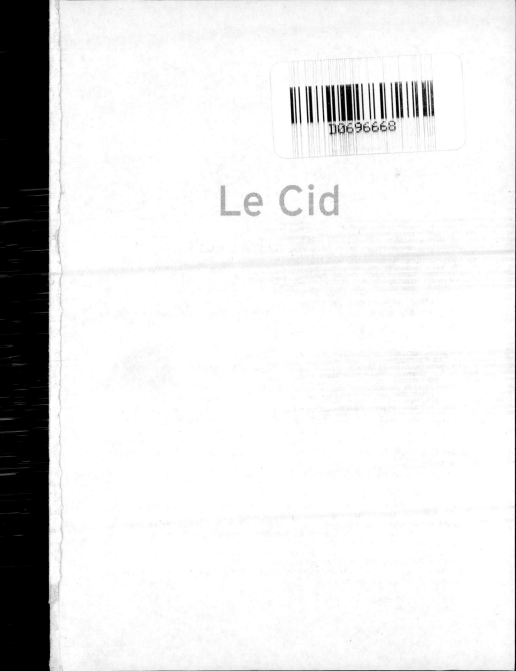

D0696668

Le Cid

© Éditions Belin/Éditions Gallimard, 2014 pour l'introduction, les notes et le dossier pédagogique.
170 bis, boulevard du Montparnasse, 75680 Paris cedex 14

ISBN 978-2-7011-8342-8
ISSN 1958-0541

Le Cid

CORNEILLE

Dossier par Adeline Macé
Certifiée de lettres modernes

BELIN ■ GALLIMARD

Sommaire

Arrêt sur l'œuvre

Groupements de textes

Autour de l'œuvre

Fenêtres sur...

Introduction

Rodrigue aime Chimène et Chimène aime Rodrigue. Mais un conflit oppose leurs familles et oblige Rodrigue à provoquer le père de Chimène en duel. Qui de l'amour ou de l'honneur triomphera?

Ce dilemme constitue l'intrigue du *Cid* de Corneille. Représentée pour la première fois au théâtre du Marais, à Paris, en 1637, la pièce rencontre un succès immédiat, qui fait du jeune auteur l'un des dramaturges les plus célèbres de son temps. Mais elle est aussi l'objet de vives critiques. Certains détracteurs reprochent notamment à Corneille d'avoir repris le sujet d'une pièce de Guilhem de Castro écrite en 1618. Dans ce drame, l'auteur espagnol retrace l'histoire devenue légendaire du « *Cid Campeador* ». Ce chevalier du XIe siècle, nommé Rodrigo Díaz de Bívar et célèbre pour ses prouesses guerrières, aurait en effet épousé la fille d'un homme qu'il avait tué en duel. Ces attaques poussent Corneille à se défendre et à publier une nouvelle version de la pièce en 1660. C'est ce qu'on a appelé la « Querelle du *Cid* ».

Depuis, le succès de la pièce ne s'est jamais démenti. Passion, grandeur, héroïsme... tous les ingrédients semblent en effet réunis pour plaire au plus grand nombre de lecteurs et de spectateurs.

H. David, frontispice de l'édition du *Cid*
de Pierre Corneille, gravure, 1660.

Personnages

DON[1] **FERNAND**, *premier roi de Castille*[2].

DOÑA URRAQUE, *infante*[3] *de Castille.*

DON DIÈGUE, *père de don Rodrigue.*

DON GOMÈS, *comte de Gormas, père de Chimène.*

DON RODRIGUE, *amant*[4] *de Chimène.*

DON SANCHE, *amoureux de Chimène.*

DON ARIAS,
DON ALONSE, } *gentilshommes*[5] *castillans.*

CHIMÈNE, *fille de don Gomès.*

LÉONOR, *gouvernante*[6] *de l'Infante.*

ELVIRE, *gouvernante de Chimène.*

UN PAGE[7] **DE L'INFANTE.**

La scène est à Séville[8].

---

1. **Don** (au féminin doña) : titre de noblesse espagnol.
2. **Castille** : royaume d'Espagne.
3. **Infante** : fille du roi de Castille.
4. **Amant** : qui aime et est aimé en retour, par opposition à l'amoureux, qui aime sans être aimé en retour (sens des mots au XVIIe siècle).
5. **Gentilshommes** : hommes nobles.
6. **Gouvernante** : personne chargée de l'éducation d'un enfant.
7. **Page** : jeune garçon, généralement d'origine noble, attaché au service d'un seigneur ou d'une grande dame.
8. **Séville** : ville du royaume de Castille.

NOTE SUR L'ÉDITION

Le texte que nous reproduisons ici est conforme à l'édition définitive du *Cid* dans les *Œuvres complètes* de Corneille de 1682.
Cette version, qui fut la dernière publiée par Corneille deux ans avant sa mort, prend en compte les modifications qu'il apporta à sa pièce en 1660, après la « Querelle du *Cid* » (voir p. 175-176).

ACTE I

❧

Scène 1

CHIMÈNE, ELVIRE

Chez Chimène.

CHIMÈNE

Elvire, m'as-tu fait un rapport bien sincère ?
Ne déguises-tu[1] rien de ce qu'a dit mon père ?

ELVIRE

Tous mes sens à moi-même[2] en sont encor[3] charmés :
Il estime Rodrigue autant que vous l'aimez,
5 Et si je ne m'abuse à lire[4] dans son âme,
Il vous commandera de répondre à sa flamme[5].

---

1. Ne déguises-tu : ne caches-tu.
2. À moi-même : en moi-même.
3. Encor : au XVIIᵉ siècle, l'adverbe « encore » peut s'écrire sans -e ; il s'agit d'une licence poétique qui permet de respecter la mesure de l'alexandrin.
4. Et si je ne m'abuse à lire : et si je ne me trompe en lisant.
5. Flamme : amour.

CHIMÈNE

Dis-moi donc, je te prie, une seconde fois
Ce qui te fait juger qu'il approuve mon choix :
Apprends-moi de nouveau quel espoir j'en dois prendre ;
10 Un si charmant discours ne se peut trop entendre ;
Tu ne peux trop promettre aux feux[1] de notre amour
La douce liberté de se montrer au jour.
Que t'a-t-il répondu sur la secrète brigue[2]
Que font auprès de toi don Sanche et don Rodrigue ?
15 N'as-tu point trop fait voir quelle inégalité
Entre ces deux amants[3] me penche d'un côté ?

ELVIRE

Non, j'ai peint votre cœur dans une indifférence
Qui n'enfle d'aucun d'eux ni détruit l'espérance[4],
Et sans les voir d'un œil trop sévère ou trop doux,
20 Attend l'ordre d'un père à choisir un époux.
Ce respect l'a ravi[5], sa bouche et son visage
M'en ont donné sur l'heure un digne témoignage,
Et puisqu'il vous en faut encor faire un récit,
Voici d'eux et de vous ce qu'en hâte il m'a dit :
25 « Elle est dans le devoir[6], tous deux sont dignes d'elle,
Tous deux formés d'un sang noble, vaillant[7], fidèle,
Jeunes, mais qui font lire aisément dans leurs yeux
L'éclatante vertu[8] de leurs braves aïeux[9].

---

1. **Feux** : sentiments amoureux.
2. **Brigue** : intrigue.
3. **Amants** : ici, soupirants (sens du mot au XVIIᵉ siècle).
4. **Qui n'enfle d'aucun d'eux ni détruit l'espérance** : qui n'augmente ni ne détruit l'espérance d'aucun d'eux.
5. **Ravi** : transporté de joie.
6. **Devoir** : obligation morale.
7. **Vaillant** : courageux.
8. **Vertu** : force, courage ; au pluriel, le mot a le sens de qualités morales (sens du mot au XVIIᵉ siècle).
9. **Braves aïeux** : courageux ancêtres.

Don Rodrigue surtout n'a trait en son visage
30 Qui d'un homme de cœur[1] ne soit la haute image,
Et sort d'une maison si féconde en guerriers[2],
Qu'ils y prennent naissance au milieu des lauriers[3].
La valeur[4] de son père, en son temps sans pareille,
Tant qu'a duré sa force, a passé pour merveille ;
35 Ses rides sur son front ont gravé ses exploits,
Et nous disent encor ce qu'il fut autrefois.
Je me promets du fils ce que j'ai vu du père ;
Et ma fille, en un mot, peut l'aimer et me plaire. »
Il allait au Conseil[5], dont l'heure qui pressait
40 A tranché ce discours qu'à peine il commençait ;
Mais à ce peu de mots je crois que sa pensée
Entre vos deux amants n'est pas fort balancée[6].
Le roi doit à son fils élire un gouverneur[7],
Et c'est lui que regarde[8] un tel degré d'honneur :
45 Ce choix n'est pas douteux, et sa rare vaillance
Ne peut souffrir[9] qu'on craigne aucune concurrence.
Comme ses hauts exploits le rendent sans égal,
Dans un espoir si juste il sera sans rival ;
Et puisque don Rodrigue a résolu son père
50 Au sortir du Conseil à proposer l'affaire[10],

---

1. Cœur : courage (sens du mot au XVIIe siècle).
2. Une maison si féconde en guerriers : une famille qui donna naissance à tant de guerriers.
3. Au milieu des lauriers : auréolés de la gloire de leurs aînés ; les lauriers sont le symbole de la gloire militaire.
4. Valeur : grandeur, courage.
5. Conseil : assemblée des ministres du roi.
6. Balancée : hésitante (sens du mot au XVIIe siècle).
7. Gouverneur : personne chargée de l'éducation d'un enfant.
8. Regarde : concerne.
9. Souffrir : supporter (sens du mot au XVIIe siècle).
10. L'affaire : la demande en mariage.

Je vous laisse à juger s'il prendra bien son temps[1],
Et si tous vos désirs seront bientôt contents[2].

CHIMÈNE

Il semble toutefois que mon âme troublée
Refuse cette joie et s'en trouve accablée :
55 Un moment donne au sort des visages divers[3],
Et dans ce grand bonheur je crains un grand revers[4].

ELVIRE

Vous verrez cette crainte heureusement déçue[5].

CHIMÈNE

Allons, quoi qu'il en soit, en attendre l'issue[6].

---

1. S'il prendra bien son temps : s'il trouvera le moment le plus favorable pour faire sa demande.
2. Contents : satisfaits.
3. Un moment donne au sort des visages divers : un seul instant suffit à faire basculer le destin.
4. Revers : bouleversement, revirement de situation.
5. Déçue : trompée, rendue fausse.
6. Issue : résultat.

Scène 2

L'INFANTE, LÉONOR, LE PAGE

Chez l'Infante.

L'INFANTE

Page, allez avertir Chimène de ma part
60 Qu'aujourd'hui pour me voir elle attend un peu tard[1],
Et que mon amitié se plaint de sa paresse.

(Le page rentre.)[2]

LÉONOR

Madame, chaque jour même désir vous presse[3];
Et dans son entretien je vous vois chaque jour
Demander en quel point se trouve son amour.

L'INFANTE

65 Ce n'est pas sans sujet: je l'ai presque forcée
À recevoir les traits[4] dont son âme est blessée.
Elle aime don Rodrigue, et le tient de ma main,
Et par moi don Rodrigue a vaincu son dédain[5]:
Ainsi de ces amants ayant formé les chaînes,
70 Je dois prendre intérêt à voir finir leurs peines.

---

1. **Elle attend un peu tard**: elle tarde un peu à venir.
2. Il quitte la scène et rentre en coulisse.
3. **Presse**: tourmente, assaille.
4. **Traits**: flèches; allusion aux flèches de Cupidon, dieu de l'amour dans la mythologie romaine.
5. **Dédain**: mépris.

LÉONOR

Madame, toutefois parmi leurs bons succès
Vous montrez un chagrin qui va jusqu'à l'excès.
Cet amour, qui tous deux les comble d'allégresse[1],
Fait-il de ce grand cœur la profonde tristesse ?
75 Et ce grand intérêt que vous prenez pour eux
Vous rend-il malheureuse alors qu'ils sont heureux ?
Mais je vais trop avant et deviens indiscrète.

L'INFANTE

Ma tristesse redouble à la tenir secrète.
Écoute, écoute enfin comme j'ai combattu,
80 Écoute quels assauts brave encor ma vertu.
L'amour est un tyran qui n'épargne personne :
Ce jeune cavalier[2], cet amant que je donne,
Je l'aime.

LÉONOR

Vous l'aimez !

L'INFANTE

Mets la main sur mon cœur,
Et vois comme il se trouble au nom de son vainqueur,
85 Comme il le reconnaît.

LÉONOR

Pardonnez-moi, Madame,
Si je sors du respect pour blâmer[3] cette flamme.
Une grande princesse à ce point s'oublier[4]
Que d'admettre en son cœur un simple cavalier !

---

1. **Allégresse** : joie.
2. **Cavalier** : chevalier, c'est-à-dire un jeune homme noble ; il s'agit ici de don Rodrigue.
3. **Blâmer** : condamner, réprimander.
4. **S'oublier** : manquer aux devoirs dus à son rang.

Et que dirait le Roi ? que dirait la Castille ?
90 Vous souvient-il encor de qui vous êtes fille ?

L'Infante

Il m'en souvient si bien que j'épandrai mon sang
Avant que je m'abaisse à démentir mon rang.
Je te répondrais bien que dans les belles âmes
Le seul mérite a droit de produire des flammes ;
95 Et si ma passion cherchait à s'excuser,
Mille exemples fameux pourraient l'autoriser ;
Mais je n'en veux point suivre où ma gloire[1] s'engage ;
La surprise des sens n'abat point mon courage ;
Et je me dis toujours qu'étant fille de roi,
100 Tout autre qu'un monarque[2] est indigne de moi.
Quand je vis que mon cœur ne se pouvait défendre,
Moi-même je donnai ce que je n'osais prendre.
Je mis, au lieu de moi, Chimène en ses liens,
Et j'allumai leurs feux pour éteindre les miens.
105 Ne t'étonne donc plus si mon âme gênée[3]
Avec impatience attend leur hyménée[4] :
Tu vois que mon repos en dépend aujourd'hui.
Si l'amour vit d'espoir, il périt avec lui :
C'est un feu qui s'éteint, faute de nourriture ;
110 Et malgré la rigueur[5] de ma triste aventure,
Si Chimène a jamais[6] Rodrigue pour mari,
Mon espérance est morte, et mon esprit guéri.
Je souffre cependant un tourment incroyable :
Jusques à cet hymen Rodrigue m'est aimable[7] ;

---

1. **Gloire** : réputation.
2. **Monarque** : roi
3. **Gênée** : torturée.
4. **Hyménée** (ou hymen) : mariage.
5. **Rigueur** : cruauté, sévérité.
6. **Jamais** : pour toujours.
7. **Aimable** : digne d'être aimé (sens du mot au XVIIᵉ siècle).

115　Je travaille à le perdre, et le perds à regret ;
　　Et de là prend son cours mon déplaisir secret[1].
　　Je vois avec chagrin que l'amour me contraigne[2]
　　À pousser des soupirs pour ce que je dédaigne ;
　　Je sens en deux partis mon esprit divisé.
120　Si mon courage est haut, mon cœur est embrasé.
　　Cet hymen m'est fatal, je le crains et souhaite :
　　Je n'ose en espérer qu'une joie imparfaite.
　　Ma gloire et mon amour ont pour moi tant d'appas[3],
　　Que je meurs s'il s'achève ou ne s'achève pas[4].

LÉONOR

125　Madame, après cela je n'ai rien à vous dire,
　　Sinon que de vos maux avec vous je soupire :
　　Je vous blâmais tantôt, je vous plains à présent ;
　　Mais puisque dans un mal si doux et si cuisant[5]
　　Votre vertu combat et son charme et sa force,
130　En repousse l'assaut, en rejette l'amorce,
　　Elle rendra le calme à vos esprits flottants[6].
　　Espérez donc tout d'elle, et du secours du temps ;
　　Espérez tout du ciel : il a trop de justice
　　Pour laisser la vertu dans un si long supplice[7].

L'INFANTE

135　Ma plus douce espérance est de perdre l'espoir.

LE PAGE

Par vos commandements Chimène vous vient voir.

---

1. De là prend son cours mon déplaisir secret : de là provient ma peine secrète.
2. Me contraigne : me contraint.
3. Appas : attraits.
4. S'il s'achève ou ne s'achève pas : si le mariage a lieu ou non.
5. Cuisant : qui cause une vive douleur morale.
6. Flottants : troublés, tourmentés.
7. Supplice : torture.

L'Infante, *à Léonor.*

Allez l'entretenir en cette galerie.

Léonor

Voulez-vous demeurer dedans la rêverie[1]?

L'Infante

Non, je veux seulement, malgré mon déplaisir,
140   Remettre mon visage un peu plus à loisir[2].
Je vous suis. Juste ciel, d'où j'attends mon remède,
Mets enfin quelque borne au mal qui me possède :
Assure mon repos, assure mon honneur.
Dans le bonheur d'autrui je cherche mon bonheur :
145   Cet hyménée à trois également importe ;
Rends son effet plus prompt[3], ou mon âme plus forte.
D'un lien conjugal joindre ces deux amants,
C'est briser tous mes fers[4] et finir mes tourments.
Mais je tarde un peu trop : allons trouver Chimène,
150   Et par son entretien soulager notre peine.

1. **Dedans la rêverie** : dans vos pensées.
2. **Remettre mon visage un peu plus à loisir** : donner à mon visage une apparence plus présentable.
3. **Son effet plus prompt** : son accomplissement plus rapide.
4. **Fers** : chaînes ; le mot désigne ici les liens de l'amour.

Scène 3

Le Comte, don DièGUE.

Une place publique devant le palais royal.

Le Comte

Enfin vous l'emportez, et la faveur du Roi
Vous élève en un rang qui n'était dû qu'à moi :
Il vous fait gouverneur du prince de Castille.

Don DièGUE

Cette marque d'honneur qu'il met dans ma famille
155 Montre à tous qu'il est juste, et fait connaître assez
Qu'il sait récompenser les services passés.

Le Comte

Pour grands que soient les rois, ils sont ce que nous sommes :
Ils peuvent se tromper comme les autres hommes ;
Et ce choix sert de preuve à tous les courtisans[1]
160 Qu'ils savent mal payer les services présents.

Don DièGUE

Ne parlons plus d'un choix dont votre esprit s'irrite :
La faveur l'a pu faire autant que le mérite ;
Mais on doit ce respect au pouvoir absolu,
De n'examiner rien quand un roi l'a voulu.
165 À l'honneur qu'il m'a fait ajoutez-en un autre ;
Joignons d'un sacré nœud[2] ma maison et la vôtre :

---

1. **Courtisans** : hommes de cour, personnes qui vivent dans l'entourage du roi.
2. **Joignons d'un sacré nœud** : joignons par les liens sacrés du mariage.

Vous n'avez qu'une fille, et moi je n'ai qu'un fils ;
Leur hymen nous peut rendre à jamais plus qu'amis :
Faites-nous cette grâce, et l'acceptez pour gendre[1].

LE COMTE

170 À des partis plus hauts[2] ce beau fils doit prétendre ;
Et le nouvel éclat de votre dignité[3]
Lui doit enfler le cœur d'une autre vanité[4].
Exercez-la[5], Monsieur, et gouvernez le Prince :
Montrez-lui comme il faut régir une province[6],
175 Faire trembler partout les peuples sous la loi,
Remplir les bons d'amour, et les méchants d'effroi.
Joignez à ces vertus celles d'un capitaine :
Montrez-lui comme il faut s'endurcir à la peine,
Dans le métier de Mars[7] se rendre sans égal,
180 Passer les jours entiers et les nuits à cheval,
Reposer tout armé, forcer une muraille,
Et ne devoir qu'à soi le gain d'une bataille.
Instruisez-le d'exemple, et rendez-le parfait,
Expliquant à ses yeux vos leçons par l'effet.

DON DIÈGUE

185 Pour s'instruire d'exemple, en dépit de l'envie,
Il lira seulement l'histoire de ma vie.
Là, dans un long tissu de belles actions,
Il verra comme il faut dompter des nations,

---

1. **L'acceptez pour gendre** : acceptez-le comme époux de votre fille.
2. **À des partis plus hauts** : à des prétendantes plus nobles.
3. **Dignité** : ici, fonction, en tant que gouverneur du prince.
4. **Vanité** : prétention.
5. **Exercez-la** : exercez cette dignité.
6. **Province** : royaume.
7. **Le métier de Mars** : les fonctions militaires ; Mars est le dieu de la guerre dans la mythologie romaine.

Attaquer une place, ordonner une armée,
190   Et sur de grands exploits bâtir sa renommée[1].

LE COMTE

Les exemples vivants sont d'un autre pouvoir,
Un prince dans un livre apprend mal son devoir.
Et qu'a fait après tout ce grand nombre d'années,
Que ne puisse égaler une de mes journées?
195   Si vous fûtes vaillant, je le suis aujourd'hui,
Et ce bras du royaume est le plus ferme appui.
Grenade et l'Aragon[2] tremblent quand ce fer[3] brille;
Mon nom sert de rempart à toute la Castille:
Sans moi, vous passeriez bientôt sous d'autres lois,
200   Et vous auriez bientôt vos ennemis pour rois.
Chaque jour, chaque instant, pour rehausser ma gloire,
Met lauriers sur lauriers, victoire sur victoire:
Le Prince à mes côtés ferait dans les combats
L'essai de son courage à l'ombre de mon bras;
205   Il apprendrait à vaincre en me regardant faire
Et pour répondre en hâte à son grand caractère[4],
Il verrait…

DON DIÈGUE

Je le sais, vous servez bien le Roi:
Je vous ai vu combattre et commander sous moi.
Quand l'âge dans mes nerfs a fait couler sa glace,
210   Votre rare valeur a bien rempli ma place;

---

1. Renommée: réputation.
2. Grenade et l'Aragon: royaumes indépendants, ennemis de la Castille; Grenade est la capitale de l'Andalousie et fut reprise aux mains des Maures en 1492, mettant ainsi fin à l'occupation du Sud de l'Espagne depuis le VIIIe siècle; l'Aragon est un royaume indépendant du Nord de l'Espagne qui ne fut rattaché à la Castille qu'en 1469.
3. Fer: ici, épée.
4. Son grand caractère: sa noblesse, son statut.

Enfin, pour épargner les discours superflus[1],
Vous êtes aujourd'hui ce qu'autrefois je fus.
Vous voyez toutefois qu'en cette concurrence
Un monarque entre nous met quelque différence.

LE COMTE

215 Ce que je méritais, vous l'avez emporté.

DON DIÈGUE

Qui l'a gagné sur vous l'avait mieux mérité.

LE COMTE

Qui peut mieux l'exercer en est bien le plus digne.

DON DIÈGUE

En être refusé n'en est pas un bon signe.

LE COMTE

Vous l'avez eu par brigue, étant vieux courtisan.

DON DIÈGUE

220 L'éclat de mes hauts faits[2] fut mon seul partisan.

LE COMTE

Parlons-en mieux, le Roi fait honneur à votre âge.

DON DIÈGUE

Le Roi, quand il en fait, le mesure au courage.

---

1. Superflus : inutiles.
2. Hauts faits : exploits guerriers.

LE COMTE

Et par là cet honneur n'était dû qu'à mon bras.

DON DIÈGUE

Qui n'a pu l'obtenir ne le méritait pas.

LE COMTE

225   Ne le méritait pas ! moi ?

DON DIÈGUE
Vous.

LE COMTE

Ton impudence[1],
Téméraire[2] vieillard, aura sa récompense.

(Il lui donne un soufflet[3].)

DON DIÈGUE, *mettant l'épée à la main.*

Achève, et prends ma vie, après un tel affront,
Le premier dont ma race ait vu rougir son front.

LE COMTE

Et que penses-tu faire avec tant de faiblesse ?

DON DIÈGUE

230   Ô Dieu ! ma force usée en ce besoin[4] me laisse !

---

1. Impudence : insolence.
2. Téméraire : imprudent.
3. Soufflet : gifle.
4. Besoin : situation difficile.

H. Gravelot, illustration pour *Le Cid*
de Pierre Corneille, gravure, 1762.

LE COMTE

Ton épée est à moi ; mais tu serais trop vain[1],
Si ce honteux trophée avait chargé ma main[2].
Adieu. Fais lire au Prince, en dépit de l'envie,
Pour son instruction, l'histoire de ta vie :
235   D'un insolent discours ce juste châtiment[3]
Ne lui servira pas d'un petit ornement[4].

Scène 4

DON DIÈGUE.

Ô rage ! ô désespoir ! ô vieillesse ennemie !
N'ai-je donc tant vécu que pour cette infamie[5] ?
Et ne suis-je blanchi[6] dans les travaux guerriers
240   Que pour voir en un jour flétrir tant de lauriers ?
Mon bras, qu'avec respect toute l'Espagne admire,
Mon bras, qui tant de fois a sauvé cet empire,
Tant de fois affermi le trône de son roi,
Trahit donc ma querelle[7], et ne fait rien pour moi ?
245   Ô cruel souvenir de ma gloire passée !
Œuvre de tant de jours en un jour effacée !
Nouvelle dignité, fatale à mon bonheur !
Précipice élevé d'où tombe mon honneur !

---

1. **Vain** : fier.
2. **Si ce honteux trophée avait chargé ma main** : si j'avais ramassé ton épée.
3. **Châtiment** : peine, punition.
4. **Ne lui servira pas d'un petit ornement** : lui montrera l'histoire de ta vie (ironique).
5. **Infamie** : honte, déshonneur.
6. **Ne suis-je blanchi** : ai-je vieilli.
7. **Querelle** : cause, parti pris en faveur de quelqu'un (sens du mot au XVIIe siècle).

Faut-il de votre éclat voir triompher le Comte,
250 Et mourir sans vengeance, ou vivre dans la honte ?
Comte, sois de mon prince à présent gouverneur :
Ce haut rang n'admet point un homme sans honneur ;
Et ton jaloux orgueil, par cet affront insigne[1],
Malgré le choix du Roi, m'en a su rendre indigne.
255 Et toi, de mes exploits glorieux instrument,
Mais d'un corps tout de glace[2] inutile ornement,
Fer, jadis tant à craindre et qui, dans cette offense[3],
M'as servi de parade[4], et non pas de défense,
Va, quitte désormais le dernier des humains,
260 Passe, pour me venger, en de meilleures mains.

Scène 5

DON DIÈGUE, DON RODRIGUE.

DON DIÈGUE

Rodrigue, as-tu du cœur ?

DON RODRIGUE

Tout autre que mon père
L'éprouverait sur l'heure.

---

1. **Insigne** : extraordinaire, remarquable.
2. **Tout de glace** : glacé par le nombre des années.
3. **Offense** : affront, outrage.
4. **Parade** : parure, ornement.

DON DIÈGUE

Agréable colère !
Digne ressentiment[1] à ma douleur bien doux !
Je reconnais mon sang[2] à ce noble courroux[3] ;
265 Ma jeunesse revit en cette ardeur[4] si prompte.
Viens, mon fils, viens, mon sang, viens réparer ma honte ;
Viens me venger.

DON RODRIGUE

De quoi ?

DON DIÈGUE

D'un affront si cruel,
Qu'à l'honneur de tous deux il porte un coup mortel :
D'un soufflet. L'insolent en eût perdu la vie ;
270 Mais mon âge a trompé ma généreuse[5] envie :
Et ce fer que mon bras ne peut plus soutenir,
Je le remets au tien pour venger et punir.
Va contre un arrogant[6] éprouver ton courage :
Ce n'est que dans le sang qu'on lave un tel outrage[7] ;
275 Meurs ou tue. Au surplus, pour ne te point flatter[8],
Je te donne à combattre un homme à redouter :
Je l'ai vu, tout couvert de sang et de poussière,
Porter partout l'effroi dans une armée entière.
J'ai vu par sa valeur cent escadrons rompus[9] ;
280 Et pour t'en dire encor quelque chose de plus,

---

1. **Ressentiment** : sentiment de reconnaissance (sens du mot au XVIIᵉ siècle).
2. **Mon sang** : ma lignée ; ici, mon fils.
3. **Courroux** : colère.
4. **Ardeur** : élan vif.
5. **Généreuse** : noble, digne de mon rang (sens du mot au XVIIᵉ siècle).
6. **Arrogant** : insolent, orgueilleux.
7. **Outrage** : affront, insulte.
8. **Flatter** : mentir.
9. **Escadrons rompus** : armées vaincues.

Plus que brave soldat, plus que grand capitaine,
C'est…

DON RODRIGUE

De grâce, achevez.

DON DIÈGUE

Le père de Chimène.

DON RODRIGUE

Le…

DON DIÈGUE

Ne réplique point, je connais ton amour ;
Mais qui peut vivre infâme est indigne du jour[1].
285   Plus l'offenseur est cher, et plus grande est l'offense.
Enfin tu sais l'affront, et tu tiens la vengeance.
Je ne te dis plus rien. Venge-moi, venge-toi ;
Montre-toi digne fils d'un père tel que moi.
Accablé des malheurs où le destin me range,
290   Je vais les déplorer[2]. Va, cours, vole, et nous venge[3].

---

1. **Est indigne du jour** : n'est pas digne de vivre.
2. **Les déplorer** : pleurer sur mes malheurs.
3. **Nous venge** : venge-nous.

Scène 6

DON RODRIGUE.

Percé jusques[1] au fond du cœur

D'une atteinte imprévue aussi bien que mortelle,

Misérable[2] vengeur d'une juste querelle,

Et malheureux objet d'une injuste rigueur,

295 Je demeure immobile, et mon âme abattue

Cède au coup qui me tue.

Si près de voir mon feu récompensé,

Ô Dieu, l'étrange[3] peine !

En cet affront mon père est l'offensé,

300   Et l'offenseur le père de Chimène !

Que je sens de rudes combats !

Contre mon propre honneur mon amour s'intéresse[4] :

Il faut venger un père, et perdre une maîtresse[5].

L'un m'anime le cœur, l'autre retient mon bras.

305 Réduit au triste choix ou de trahir ma flamme,

Ou de vivre en infâme,

Des deux côtés mon mal est infini.

Ô Dieu, l'étrange peine !

Faut-il laisser un affront impuni ?

310   Faut-il punir le père de Chimène ?

Père, maîtresse, honneur, amour,

Noble et dure contrainte, aimable tyrannie,

---

1. Jusques: au XVIIᵉ siècle, la préposition «jusque» s'écrit fréquemment avec un -s devant une voyelle, ce qui oblige à faire la liaison.
2. Misérable: malheureux, digne de pitié.
3. Étrange: terrible (sens du mot au XVIIᵉ siècle).
4. S'intéresse: prend parti.
5. Maîtresse: femme aimée (sens du mot au XVIIᵉ siècle).

Tous mes plaisirs sont morts, ou ma gloire ternie.
L'un me rend malheureux, l'autre indigne du jour.
315 Cher et cruel espoir d'une âme généreuse,[1]
                    Mais ensemble[2] amoureuse,
            Digne ennemi de mon plus grand bonheur,
                    Fer qui cause ma peine,
            M'es-tu donné pour venger mon honneur?
320   M'es-tu donné pour perdre ma Chimène?

            Il vaut mieux courir au trépas[3].
Je dois à[4] ma maîtresse aussi bien qu'à mon père;
J'attire en me vengeant sa haine et sa colère;
J'attire ses mépris en ne me vengeant pas.
325 À mon plus doux espoir l'un me rend infidèle,
                    Et l'autre indigne d'elle.
            Mon mal augmente à le vouloir guérir;
                    Tout redouble ma peine.
            Allons, mon âme; et puisqu'il faut mourir,
330   Mourons du moins sans offenser Chimène.

            Mourir sans tirer ma raison[5]!
Rechercher un trépas si mortel à ma gloire!
Endurer que l'Espagne impute à ma mémoire[6]
D'avoir mal soutenu l'honneur de ma maison!
335 Respecter un amour dont mon âme égarée
                    Voit la perte assurée!
            N'écoutons plus ce penser suborneur[7],
                    Qui ne sert qu'à ma peine.

---

1. À partir de ce vers, Rodrigue s'adresse à son épée, désignée par le terme «fer».
2. Ensemble: en même temps.
3. Trépas: mort.
4. Je dois à: j'ai des devoirs envers.
5. Sans tirer ma raison: sans obtenir de réparation, sans m'être vengé.
6. Impute à ma mémoire: m'accuse après ma mort.
7. Ce penser suborneur: cette pensée trompeuse.

Allons, mon bon, sauvons du moins l'honneur,
340   Puisqu'après tout il faut perdre Chimène.

Oui, mon esprit s'était déçu.
Je dois tout à mon père avant qu'à ma maîtresse :
Que je meure au combat, ou meure de tristesse,
Je rendrai mon sang pur comme je l'ai reçu.
345   Je m'accuse déjà de trop de négligence :
Courons à la vengeance ;
Et tout honteux d'avoir tant balancé,
Ne soyons plus en peine,
Puisqu'aujourd'hui mon père est l'offensé,
350   Si l'offenseur est père de Chimène.

Arrêt
sur lecture 1

Un quiz pour commencer

Cochez les bonnes réponses.

1 *Dans quelle ville se déroule l'action ?*

- ☐ À Séville.
- ☐ À Madrid.
- ☐ À Paris.

2 *Quels sont les propos qu'Elvire rapporte à Chimène au début de la pièce ?*

- ☐ Elle lui dit que son père accepte qu'elle épouse don Sanche.
- ☐ Elle lui dit que son père accepte qu'elle épouse Rodrigue.
- ☐ Elle lui dit que son père refuse qu'elle épouse Rodrigue.

3 *Que confie l'Infante à sa servante Léonor ?*

- ☐ Qu'elle souhaite se marier avec don Sanche.
- ☐ Qu'elle se réjouit du mariage de Chimène et Rodrigue.
- ☐ Qu'elle est triste car son amour pour Rodrigue est impossible.

4 *Qui est choisi par le Roi pour être le précepteur du Prince ?*

- ❏ Le Comte de Gormas, le père de Chimène.
- ❏ Don Diègue, le père de Rodrigue.
- ❏ Rodrigue lui-même.

5 *Pourquoi le Comte et don Diègue se disputent-ils ?*

- ❏ Parce que don Diègue s'oppose au mariage de son fils avec Chimène.
- ❏ Parce que don Diègue est jaloux que le Comte ait été nommé précepteur à sa place.
- ❏ Parce que le Comte est jaloux que don Diègue ait été nommé précepteur à sa place.

6 *Comment leur dispute se termine-t-elle ?*

- ❏ Le Comte provoque don Diègue en duel.
- ❏ Le Comte gifle don Diègue.
- ❏ Le Comte insulte don Diègue.

7 *Quel sentiment éprouve don Diègue après cet épisode ?*

- ❏ Il est déçu car il espérait conclure le mariage de son fils.
- ❏ Il est désespéré car il se sent trop vieux pour se venger lui-même.
- ❏ Il est furieux car le Comte a remis en question l'autorité du Roi.

8 *À quel dilemme Rodrigue se trouve-t-il confronté à la fin de l'acte I ?*

- ❏ Épouser l'Infante ou désobéir au Roi.
- ❏ Se faire aimer de Chimène ou venger son père.
- ❏ Mourir au combat ou fuir son pays.

Des questions pour aller plus loin

→ *Analyser la mise en place de l'intrigue*

Des amours impossibles ?

1 Quels mots ouvrent la pièce ? De quoi est-il question ? Expliquez pourquoi on peut dire que le spectateur est directement plongé au cœur de l'intrigue.

2 Qui sont les deux prétendants de Chimène ? Relevez les adjectifs qui les qualifient (v. 17-38) et dites quel est celui que le Comte a choisi comme époux pour sa fille.

3 Expliquez les craintes dont Chimène fait part à Elvire au sujet de son mariage. Qu'est-ce que cela laisse présager de la suite de l'intrigue ?

4 Relisez la réplique de l'Infante, lorsqu'elle confie à sa servante Léonor son amour pour Rodrigue (v. 91-104), puis complétez le tableau suivant. Que constatez-vous ?

Champ lexical de l'amour	Champ lexical du devoir

5 « Un mal si doux et si cuisant » (v. 128). Que désigne ainsi Léonor ? Comment appelle-t-on cette figure de style. Expliquez l'effet produit par cet emploi.

Zoom sur la dispute du Comte et de don Diègue (acte I, scène 3)

6 Selon le Comte, pour quelles raisons méritait-il le poste de gouverneur à la place de don Diègue ? Appuyez-vous sur des citations précises du texte pour répondre.

7 « Vous êtes aujourd'hui ce qu'autrefois je fus » (v. 212). Expliquez ce vers et relevez des expressions dans la scène 3 qui montrent que les deux hommes sont opposés car ils n'appartiennent pas à la même génération.

8 Qualifiez l'enchaînement des répliques à la fin de la scène (v. 215-230). Quels sentiments cela traduit-il ?

9 À l'aide du dictionnaire en ligne TLFI (http://atilf.atilf.fr), cherchez l'origine et le sens du mot « soufflet ». Donnez un synonyme de ce mot aujourd'hui. Quelles vont être, selon vous, les conséquences de ce geste ?

Le dilemme de Rodrigue

10 Quel personnage fait son entrée à la scène 5 ? En quoi peut-on dire qu'il est le personnage principal de la pièce ?

11 Quel est le mode verbal utilisé par don Diègue lorsqu'il s'adresse à son fils aux vers 266, 273, 275, 283 et 288 ? Quel est l'effet produit ?

12 Relevez les groupes nominaux qui qualifient le Comte dans la scène 5 jusqu'au vers 283. Pourquoi, selon vous, son nom n'est-il jamais prononcé ?

13 À quel choix difficile et douloureux est confronté Rodrigue à la fin du premier acte ? Pour répondre, vous montrerez notamment comment la construction des vers 309-310 et 319-320 souligne l'opposition entre amour et honneur.

14 Quelle est la décision finale de Rodrigue ? Citez un vers qui le prouve.

✔ *Rappelez-vous !*

• L'acte I est un **acte d'exposition** dont la fonction est de présenter aux spectateurs les personnages de la pièce ainsi que les premiers éléments de l'intrigue.

• Ici, on comprend que le mariage de Chimène et Rodrigue, sur le point d'être conclu au lever de rideau, va être empêché à cause du **soufflet** que le Comte donne à don Diègue à la scène 3. L'apparition retardée de Rodrigue, le personnage principal de la pièce, à la scène 5 accroît la **tension dramatique**. La fin de l'acte I permet d'exposer le **dilemme entre amour et honneur**.

De la lecture à l'écriture

✎ *Des mots pour mieux écrire*

1 *Complétez le texte suivant avec le mot qui convient :*

| Affront | Courage | Honneur | Infamie | Orgueil |

Le soufflet que le Comte a donné à don Diègue est un véritable
_____. Le vieil homme a été blessé dans son
_____. Il ne peut vivre plus longtemps sans venger
cette _____. Il demande donc l'aide de son fils.
Mais Rodrigue hésite : doit-il venger l'_____ de son
père ou préserver son amour pour Chimène ? N'écoutant que son
_____, le jeune homme décide finalement d'affronter
le Comte en duel.

2 *Corneille a écrit* **Le Cid** *au XVIIe siècle. Depuis, le sens des mots a évolué et n'est plus tout à fait le même aujourd'hui. Repérez les mots suivants dans la pièce et, en vous aidant des notes de bas de page et d'un dictionnaire, complétez le tableau suivant.*

	Sens au XVIIe siècle	Sens actuel
Amitié	Amour	
Cœur	Courage	
Étonné		Surpris
Générosité	Noblesse	
Transports		Moyens de locomotion

À vous d'écrire

1 Avez-vous, comme Rodrigue, été confronté(e) à un dilemme ? Racontez votre expérience ou imaginez cette situation.

Consigne. Votre texte, d'une vingtaine de lignes, sera rédigé au passé. Dans un premier paragraphe, vous exposerez l'objet du dilemme auquel vous avez été confronté(e), puis, dans un second paragraphe, vous expliquerez quelle solution vous avez choisie et pourquoi.

2 L'Infante brûle d'amour pour Rodrigue, mais elle lui dissimule ses sentiments. Imaginez une lettre qu'elle adresserait à Rodrigue, dans laquelle elle lui déclare sa flamme, mais signée du nom de Chimène.

Consigne. Votre texte, d'une vingtaine de lignes, sera rédigé au présent. Vous veillerez à respecter les consignes de présentation d'une lettre.

Du texte à l'image

• Le Comte (Nicolas Delorme) et don Diègue (Vincent Trouble) dans
la mise en scène de Philippe Car, théâtre du Gymnase, Marseille, 2013.
• Don Diègue (Bruno Sermonne) et Rodrigue (Thibaut Corrion) dans la mise
en scène d'Alain Ollivier, théâtre Gérard-Philipe, Saint-Denis, 2007.
• Rodrigue (William Nadylam) dans la mise en scène de Declan Donnellan,
festival d'Avignon, 1998.
• Rodrigue (Olivier Bénard) et le Comte (Gilles Nicoleau) dans la mise en scène
de Thomas Le Douarec, théâtre Comedia, Paris, 2009.
➡ Images reproduites dans le cahier photos p. II-III.

👁 Lire l'image

1 Comparez les costumes des personnages dans les quatre mises
en scène. Que pouvez-vous en déduire ?

2 Décrivez la photo en haut de la page II en insistant
sur les couleurs et le maquillage. À votre avis, quel sens
cela donne-t-il à cette scène ?

📄 Comparer le texte et l'image

3 À quelles scènes correspondent ces photographies ?
Quels éléments vous ont permis de répondre ?

4 Observez l'image en bas de la page III. Pourquoi peut-on dire
que le metteur en scène renoue avec l'origine de la pièce ?

🖐 À vous de créer

5 🖋 Préparez un exposé sur l'histoire du duel en faisant
des recherches sur Internet ou au CDI.
Consigne. Vous présenterez d'abord les différents types de duel
(à l'épée, au pistolet), puis vous donnerez quelques indications sur
le duel d'honneur (définition, date de son interdiction), et enfin vous
citerez quelques duels célèbres en illustrant votre propos.

ACTE II

❧

Scène 1

DON ARIAS, LE COMTE.

Une salle du palais.

LE COMTE

Je l'avoue entre nous, mon sang[1] un peu trop chaud
S'est trop ému d'un mot et l'a porté trop haut[2] ;
Mais puisque c'en est fait, le coup est sans remède.

DON ARIAS

Qu'aux volontés du Roi ce grand courage cède :
355　Il y prend grande part, et son cœur irrité
Agira contre vous de pleine autorité.
Aussi vous n'avez point de valable défense :
Le rang de l'offensé, la grandeur de l'offense,
Demandent des devoirs et des submissions[3]
360　Qui passent le commun des satisfactions.

---

1. Sang : ici, tempérament.
2. S'est trop ému d'un mot et l'a porté trop haut : s'est montré trop susceptible aux paroles de don Diègue et en a exagéré la portée.
3. Submissions : preuves de soumission.

LE COMTE

Le Roi peut à son gré disposer de ma vie.

DON ARIAS

De trop d'emportement votre faute est suivie.
Le Roi vous aime encore ; apaisez son courroux.
Il a dit : « Je le veux » ; désobéirez-vous ?

LE COMTE

365　Monsieur, pour conserver tout ce que j'ai d'estime[1],
Désobéir un peu n'est pas un si grand crime ;
Et quelque grand qu'il soit, mes services présents
Pour le faire abolir[2] sont plus que suffisants.

DON ARIAS

Quoi qu'on fasse d'illustre[3] et de considérable,
370　Jamais à son sujet un roi n'est redevable.
Vous vous flattez beaucoup, et vous devez savoir
Que qui sert bien son roi ne fait que son devoir.
Vous vous perdrez[4], Monsieur, sur cette confiance.

LE COMTE

Je ne vous en croirai qu'après l'expérience.

DON ARIAS

375　Vous devez redouter la puissance d'un roi.

LE COMTE

Un jour seul ne perd pas un homme tel que moi.

---

1. **Estime** : réputation.
2. **Pour le faire abolir** : pour effacer mon crime.
3. **Illustre** : extraordinaire.
4. **Vous vous perdrez** : vous causerez votre perte.

Que toute sa grandeur s'arme pour mon supplice,
Tout l'État périra, s'il faut que je périsse.

DON ARIAS

Quoi ! vous craignez si peu le pouvoir souverain…

LE COMTE

380 D'un sceptre[1] qui sans moi tomberait de sa main.
Il a trop d'intérêt lui-même en ma personne,
Et ma tête en tombant ferait choir[2] sa couronne.

DON ARIAS

Souffrez que la raison remette vos esprits.
Prenez un bon conseil[3].

LE COMTE

Le conseil en est pris.

DON ARIAS

385 Que lui dirai-je enfin ? Je lui dois rendre conte[4].

LE COMTE

Que je ne puis du tout consentir à ma honte.

DON ARIAS

Mais songez que les rois veulent être absolus.

LE COMTE

Le sort en est jeté, Monsieur, n'en parlons plus

---

1. Sceptre : bâton, symbole du pouvoir royal.
2. Choir : tomber.
3. Conseil : décision ; dans ce vers, l'auteur joue sur les deux sens du mot « conseil ».
4. Conte : compte (orthographe du XVIIe siècle).

DON ARIAS

Adieu donc, puisqu'en vain je tâche à vous résoudre[1] :
390　Avec tous vos lauriers, craignez encor le foudre[2].

LE COMTE

Je l'attendrai sans peur.

DON ARIAS

Mais non pas sans effet[3].

LE COMTE

Nous verrons donc par là don Diègue satisfait.

(Il est seul.)

Qui ne craint point la mort ne craint point les menaces.
J'ai le cœur au-dessus des plus fières[4] disgrâces ;
395　Et l'on peut me réduire à vivre sans bonheur,
Mais non pas me résoudre à vivre sans honneur.

---

1. Résoudre : convaincre.
2. Le foudre : la colère du Roi (au XVIIᵉ siècle, le mot « foudre » est masculin) ; selon une croyance antique, les lauriers protégeaient de la foudre.
3. Effet : conséquence.
4. Fières : cruelles.

Scène 2

LE COMTE, DON RODRIGUE.

La place devant le palais royal.

DON RODRIGUE
À moi, Comte, deux mots.

LE COMTE
Parle.

DON RODRIGUE
Ôte-moi d'un doute.

Connais-tu bien don Diègue?

LE COMTE
Oui.

DON RODRIGUE
Parlons bas; écoute.

Sais-tu que ce vieillard fut la même vertu[1],

400 La vaillance et l'honneur de son temps? le sais-tu?

LE COMTE
Peut-être.

DON RODRIGUE
Cette ardeur que dans les yeux je porte,

Sais-tu que c'est son sang? le sais-tu?

---

1. **La même vertu**: la vertu même, c'est-à-dire le courage incarné.

LE COMTE

Que m'importe ?

DON RODRIGUE

À quatre pas d'ici je te le fais savoir.[1]

LE COMTE

Jeune présomptueux[2] !

DON RODRIGUE

Parle sans t'émouvoir[3].
405 Je suis jeune, il est vrai ; mais aux âmes bien nées
La valeur n'attend point le nombre des années.

LE COMTE

Te mesurer à moi ! qui t'a rendu si vain,
Toi qu'on n'a jamais vu les armes à la main ?

DON RODRIGUE

Mes pareils à deux fois ne se font point connaître[4],
410 Et pour leurs coups d'essai veulent des coups de maître.

LE COMTE

Sais-tu bien qui je suis ?

DON RODRIGUE

Oui ; tout autre que moi
Au seul bruit de ton nom pourrait trembler d'effroi.

---

1. Rodrigue provoque ici le Comte en duel.
2. Présomptueux : arrogant, orgueilleux.
3. Émouvoir : énerver.
4. Mes pareils à deux fois ne se font point connaître : une seule occasion suffit aux hommes tels que moi pour prouver leur valeur.

Les palmes[1] dont je vois ta tête si couverte
Semblent porter écrit le destin de ma perte.
415 J'attaque en téméraire un bras toujours vainqueur ;
Mais j'aurai trop de force, ayant assez de cœur.
À qui venge son père il n'est rien impossible.
Ton bras est invaincu, mais non pas invincible.

LE COMTE

Ce grand cœur qui paraît aux discours que tu tiens,
420 Par tes yeux, chaque jour, se découvrait aux miens ;
Et croyant voir en toi l'honneur de la Castille,
Mon âme avec plaisir te destinait ma fille.
Je sais ta passion, et suis ravi de voir
Que tous ses mouvements[2] cèdent à ton devoir ;
425 Qu'ils n'ont point affaibli cette ardeur magnanime[3] ;
Que ta haute vertu répond à mon estime ;
Et que, voulant pour gendre un cavalier parfait,
Je ne me trompais point au choix que j'avais fait ;
Mais je sens que pour toi ma pitié s'intéresse ;
430 J'admire ton courage, et je plains ta jeunesse.
Ne cherche point à faire un coup d'essai fatal ;
Dispense ma valeur d'un combat inégal ;
Trop peu d'honneur pour moi suivrait cette victoire :
À vaincre sans péril[4], on triomphe sans gloire.
435 On te croirait toujours abattu sans effort ;
Et j'aurais seulement le regret de ta mort.

---

1. Palmes : lauriers (voir note 3, p. 13).
2. Mouvements : sentiments forts.
3. Magnanime : généreuse, qui a de la grandeur d'âme.
4. Péril : danger.

Don Rodrigue

D'une indigne pitié ton audace[1] est suivie :
Qui m'ose ôter l'honneur craint de m'ôter la vie !

Le Comte

Retire-toi d'ici.

Don Rodrigue

Marchons sans discourir[2].

Le Comte

440   Es-tu si las[3] de vivre ?

Don Rodrigue

As-tu peur de mourir ?

Le Comte

Viens, tu fais ton devoir, et le fils dégénère[4]
Qui[5] survit un moment à l'honneur de son père.

---

1. **Audace** : insolence.
2. **Marchons sans discourir** : commençons le duel et cessons de discuter.
3. **Las** : fatigué.
4. **Dégénère** : perd sa valeur.
5. **Qui** : s'il.

Scène 3

L'INFANTE, CHIMÈNE, LÉONOR.

Chez l'Infante.

L'INFANTE

Apaise, ma Chimène, apaise ta douleur :
Fais agir ta constance[1] en ce coup de malheur.
445 Tu reverras le calme après ce faible orage ;
Ton bonheur n'est couvert que d'un peu de nuage,
Et tu n'as rien perdu pour le voir différer[2].

CHIMÈNE

Mon cœur outré d'ennuis[3] n'ose rien espérer.
Un orage si prompt qui trouble une bonace[4]
450 D'un naufrage certain nous porte la menace :
Je n'en saurais douter, je péris dans le port.
J'aimais, j'étais aimée, et nos pères d'accord ;
Et je vous en contais la charmante nouvelle
Au malheureux moment que naissait leur querelle[5],
455 Dont le récit fatal, sitôt qu'on vous l'a fait,
D'une si douce attente a ruiné l'effet.
Maudite ambition, détestable manie[6],
Dont les plus généreux souffrent la tyrannie !
Honneur impitoyable à mes plus chers désirs,
460 Que tu me vas coûter de pleurs et de soupirs !

---

1. **Constance** : force, persévérance.
2. **Différer** : retarder.
3. **Outré d'ennuis** : tourmenté, accablé de douleurs (sens du mot au XVIIᵉ siècle).
4. **Bonace** : calme de la mer avant la tempête.
5. **Querelle** : ici, dispute.
6. **Manie** : folie (sens du mot au XVIIᵉ siècle).

L'INFANTE

Tu n'as dans leur querelle aucun sujet de craindre :
Un moment l'a fait naître, un moment va l'éteindre.
Elle a fait trop de bruit pour ne pas s'accorder[1],
Puisque déjà le Roi les veut accommoder[2] ;
465   Et tu sais que mon âme, à tes ennuis sensible,
Pour en tarir[3] la source y fera l'impossible.

CHIMÈNE

Les accommodements ne font rien en ce point :
De si mortels affronts ne se réparent point.
En vain on fait agir la force ou la prudence :
470   Si l'on guérit le mal, ce n'est qu'en apparence.
La haine que les cœurs conservent au-dedans
Nourrit des feux cachés, mais d'autant plus ardents.

L'INFANTE

Le saint nœud qui joindra don Rodrigue et Chimène
Des pères ennemis dissipera la haine ;
475   Et nous verrons bientôt votre amour le plus fort
Par un heureux hymen étouffer ce discord[4].

CHIMÈNE

Je le souhaite ainsi plus que je ne l'espère :
Don Diègue est trop altier[5], et je connais mon père.
Je sens couler des pleurs que je veux retenir ;
480   Le passé me tourmente, et je crains l'avenir.

L'INFANTE

Que crains-tu ? d'un vieillard l'impuissante faiblesse ?

---

1. **S'accorder** : se résoudre par un accord.
2. **Accommoder** : réconcilier.
3. **Tarir** : assécher, épuiser.
4. **Discord** : discorde, désaccord.
5. **Altier** : fier, orgueilleux.

CHIMÈNE

Rodrigue a du courage.

L'INFANTE

Il a trop de jeunesse.

CHIMÈNE

Les hommes valeureux le sont du premier coup.

L'INFANTE

Tu ne dois pas pourtant le redouter beaucoup :
485 Il est trop amoureux pour te vouloir déplaire,
Et deux mots de ta bouche arrêtent sa colère.

CHIMÈNE

S'il ne m'obéit point, quel comble à mon ennui !
Et s'il peut m'obéir, que dira-t-on de lui ?
Étant né ce qu'il est, souffrir un tel outrage !
490 Soit qu'il cède ou résiste au feu qui me l'engage,
Mon esprit ne peut qu'être ou honteux ou confus,
De son trop de respect, ou d'un juste refus.

L'INFANTE

Chimène a l'âme haute, et quoique intéressée,
Elle ne peut souffrir une basse pensée ;
495 Mais si jusques au jour de l'accommodement
Je fais mon prisonnier de ce parfait amant,
Et que j'empêche ainsi l'effet de son courage,
Ton esprit amoureux n'aura-t-il point d'ombrage[1] ?

CHIMÈNE

Ah ! Madame, en ce cas je n'ai plus de souci.

----

1. **Ombrage** : inquiétude.

Scène 4

L'Infante, Chimène, Léonor, le Page.

L'Infante

500 Page, cherchez Rodrigue, et l'amenez[1] ici.

Le Page

Le comte de Gormas et lui…

Chimène

Bon Dieu! je tremble.

L'Infante

Parlez.

Le Page

De ce palais ils sont sortis ensemble.

Chimène

Seuls?

Le Page

Seuls, et qui semblaient tout bas se quereller.

Chimène

Sans doute, ils sont aux mains[2], il n'en faut plus parler[3].
505 Madame, pardonnez à cette promptitude[4].

---

1. **L'amenez**: amenez-le.
2. **Ils sont aux mains**: ils se battent.
3. **Il n'en faut plus parler**: il ne faut plus parler de la solution que vous évoquiez (voir vers 495-498).
4. **Pardonnez à cette promptitude**: pardonnez ce départ précipité.

Scène 5

L'INFANTE, LÉONOR.

L'INFANTE

Hélas! que dans l'esprit je sens d'inquiétude!
Je pleure ses malheurs, son amant me ravit;
Mon repos m'abandonne, et ma flamme revit.
Ce qui va séparer Rodrigue de Chimène
510 Fait renaître à la fois mon espoir et ma peine;
Et leur division, que je vois à regret,
Dans mon esprit charmé jette un plaisir secret.

LÉONOR

Cette haute vertu qui règne dans votre âme
Se rend-elle sitôt à cette lâche flamme?

L'INFANTE

515 Ne la nomme point lâche, à présent que chez moi
Pompeuse[1] et triomphante, elle me fait la loi:
Porte-lui du respect, puisqu'elle m'est si chère.
Ma vertu la combat, mais malgré moi j'espère;
Et d'un si fol espoir mon cœur mal défendu
520 Vole après un amant que Chimène a perdu.

LÉONOR

Vous laissez choir ainsi ce glorieux courage,
Et la raison chez vous perd ainsi son usage?

---

1. **Pompeuse**: glorieuse.

L'Infante

Ah ! qu'avec peu d'effet on entend la raison,
Quand le cœur est atteint d'un si charmant poison !
525   Et lorsque le malade aime sa maladie,
Qu'il a peine à souffrir[1] que l'on y remédie !

Léonor

Votre espoir vous séduit[2], votre mal vous est doux ;
Mais enfin ce Rodrigue est indigne de vous.

L'Infante

Je ne le sais que trop ; mais si ma vertu cède,
530   Apprends comme l'amour flatte un cœur qu'il possède.
Si Rodrigue une fois sort vainqueur du combat,
Si dessous sa valeur ce grand guerrier s'abat,
Je puis en faire cas, je puis l'aimer sans honte.
Que ne fera-t-il point, s'il peut vaincre le Comte !
535   J'ose m'imaginer qu'à ses moindres exploits
Les royaumes entiers tomberont sous ses lois ;
Et mon amour flatteur déjà me persuade
Que je le vois assis au trône de Grenade,
Les Mores[3] subjugués[4] trembler en l'adorant,
540   L'Aragon recevoir ce nouveau conquérant,
Le Portugal[5] se rendre, et ses nobles journées
Porter delà les mers ses hautes destinées,

---

1. L'auteur joue ici sur les deux sens du mot « souffrir » qui signifie à la fois « avoir mal » (sens premier) et « supporter » (sens du mot au XVIIe siècle).
2. Séduit : trompe.
3. Les Mores (ou Maures) : populations musulmanes venues d'Afrique du Nord, qui ont conquis le sud de l'Espagne au VIIIe siècle et qui l'ont occupé jusqu'en 1492 (voir note 2, p. 22).
4. Subjugués : dominés, soumis.
5. Portugal : pays alors occupé par les Maures, qui fut ensuite conquis par les Espagnols au XIIIe siècle.

Du sang des Africains arroser ses lauriers ;
Enfin tout ce qu'on dit des plus fameux guerriers,
545 Je l'attends de Rodrigue après cette victoire,
Et fais de son amour un sujet de ma gloire.

Léonor

Mais, Madame, voyez où vous portez son bras[1],
Ensuite[2] d'un combat qui peut-être n'est pas.

L'Infante

Rodrigue est offensé ; le Comte a fait l'outrage ;
550 Ils sont sortis ensemble : en faut-il davantage ?

Léonor

Eh bien ! ils se battront, puisque vous le voulez ;
Mais Rodrigue ira-t-il si loin que vous allez ?

L'Infante

Que veux-tu ? je suis folle, et mon esprit s'égare :
Tu vois par là quels maux cet amour me prépare.
555 Viens dans mon cabinet[3] consoler mes ennuis,
Et ne me quitte point dans le trouble où je suis.

---

1. **Voyez où vous portez son bras** : voyez quels exploits vous lui prêtez.
2. **Ensuite** : à la suite.
3. **Cabinet** : petite pièce, généralement à l'écart.

Scène 6

DON FERNAND, DON ARIAS, DON SANCHE.

Chez le Roi.

DON FERNAND

Le Comte est donc si vain, et si peu raisonnable !
Ose-t-il croire encor son crime pardonnable ?

DON ARIAS

Je l'ai de votre part longtemps entretenu ;
560 J'ai fait mon pouvoir[1], Sire, et n'ai rien obtenu.

DON FERNAND

Justes Cieux ! ainsi donc un sujet téméraire
A si peu de respect et de soin de me plaire !
Il offense don Diègue, et méprise son roi !
Au milieu de ma cour il me donne la loi !
565 Qu'il soit brave guerrier, qu'il soit grand capitaine,
Je saurai bien rabattre une humeur si hautaine[2].
Fût-il la valeur même, et le dieu des combats,
Il verra ce que c'est que de n'obéir pas.
Quoi qu'ait pu mériter une telle insolence,
570 Je l'ai voulu d'abord traiter sans violence ;
Mais puisqu'il en abuse, allez dès aujourd'hui,
Soit qu'il résiste ou non, vous assurer de lui[3].

DON SANCHE

Peut-être un peu de temps le rendrait moins rebelle :
On l'a pris tout bouillant encor[4] de sa querelle ;

---

1. **Pouvoir** : possible.
2. **Humeur si hautaine** : caractère si fier, si arrogant.
3. **Vous assurer de lui** : l'arrêter.
4. **Tout bouillant encor** : bouillant encore de colère.

575 Sire, dans la chaleur d'un premier mouvement,
Un cœur si généreux se rend malaisément.
Il voit bien qu'il a tort, mais une âme si haute
N'est pas sitôt réduite à confesser sa faute.

DON FERNAND

Don Sanche, taisez-vous, et soyez averti
580 Qu'on se rend criminel à prendre son parti.

DON SANCHE

J'obéis, et me tais; mais de grâce encore, Sire,
Deux mots en sa défense.

DON FERNAND
Et que pourrez-vous dire?

DON SANCHE

Qu'une âme accoutumée aux grandes actions
Ne se peut abaisser à des submissions:
585 Elle n'en conçoit point qui s'expliquent sans honte[1];
Et c'est à ce mot seul qu'a résisté le Comte.
Il trouve en son devoir un peu trop de rigueur,
Et vous obéirait, s'il avait moins de cœur.
Commandez que son bras, nourri dans les alarmes[2],
590 Répare cette injure à la pointe des armes;
Il satisfera, Sire; et vienne qui voudra,
Attendant qu'il l'ait su, voici qui répondra[3].

DON FERNAND

Vous perdez le respect; mais je pardonne à l'âge,
Et j'excuse l'ardeur en un jeune courage.

---

1. S'excuser envers don Diègue serait perçu comme une honte pour le Comte.
2. Alarmes: appels aux armes (sens du mot au xviiᵉ siècle).
3. Don Sanche désigne ici son épée qui sera mise au service du Roi.

595 Un roi dont la prudence a de meilleurs objets
Est meilleur ménager[1] du sang de ses sujets :
Je veille pour les miens, mes soucis les conservent,
Comme le chef a soin des membres qui le servent.
Ainsi votre raison n'est pas raison pour moi :
600 Vous parlez en soldat ; je dois agir en roi ;
Et quoi qu'on veuille dire, et quoi qu'il ose croire,
Le Comte à m'obéir ne peut perdre sa gloire.
D'ailleurs l'affront me touche : il a perdu d'honneur
Celui que de mon fils j'ai fait le gouverneur ;
605 S'attaquer à mon choix, c'est se prendre à moi-même,
Et faire un attentat[2] sur le pouvoir suprême.
N'en parlons plus. Au reste, on a vu dix vaisseaux[3]
De nos vieux ennemis arborer les drapeaux ;
Vers la bouche[4] du fleuve ils ont osé paraître.

DON ARIAS

610 Les Mores ont appris par force à vous connaître,
Et tant de fois vaincus, ils ont perdu le cœur
De se plus hasarder[5] contre un si grand vainqueur.

DON FERNAND

Ils ne verront jamais sans quelque jalousie
Mon sceptre, en dépit d'eux, régir l'Andalousie[6] ;
615 Et ce pays si beau, qu'ils ont trop possédé,
Avec un œil d'envie est toujours regardé.
C'est l'unique raison qui m'a fait dans Séville
Placer depuis dix ans le trône de Castille,

---

1. Est meilleur ménager : est plus attentif, préserve mieux.
2. Attentat : crime.
3. Vaisseaux : bateaux.
4. Bouche : embouchure.
5. Hasarder : risquer.
6. Andalousie : région du sud de l'Espagne, alors sous domination des Maures (voir note 3, p. 54).

Pour les voir de plus près, et d'un ordre plus prompt
620 Renverser aussitôt ce qu'ils entreprendront.

DON ARIAS

Ils savent aux dépens de leurs plus dignes têtes,
Combien votre présence assure vos conquêtes :
Vous n'avez rien à craindre.

DON FERNAND

        Et rien à négliger :
Le trop de confiance attire le danger ;
625 Et vous n'ignorez pas qu'avec fort peu de peine
Un flux[1] de pleine mer jusqu'ici les amène.
Toutefois j'aurais tort de jeter dans les cœurs,
L'avis[2] étant mal sûr, de paniques terreurs.
L'effroi que produirait cette alarme inutile,
630 Dans la nuit qui survient troublerait trop la ville :
Faites doubler la garde aux murs et sur le port.
C'est assez pour ce soir.

---

1. **Flux** : marée montante.
2. **Avis** : nouvelle.

Scène 7

DON FERNAND, DON SANCHE, DON ALONSE.

DON ALONSE

Sire, le Comte est mort :
Don Diègue, par son fils, a vengé son offense.

DON FERNAND

Dès que j'ai su l'affront, j'ai prévu la vengeance ;
635   Et j'ai voulu dès lors prévenir ce malheur.

DON ALONSE

Chimène à vos genoux apporte sa douleur ;
Elle vient tout en pleurs vous demander justice.

DON FERNAND

Bien qu'à ses déplaisirs mon âme compatisse,
Ce que le Comte a fait semble avoir mérité
640   Ce digne châtiment de sa témérité.
Quelque juste pourtant que puisse être sa peine,
Je ne puis sans regret perdre un tel capitaine.
Après un long service à mon État rendu,
Après son sang pour moi mille fois répandu,
645   À quelques sentiments que son orgueil m'oblige,
Sa perte m'affaiblit, et son trépas m'afflige.

Scène 8

DON FERNAND, DON DIÈGUE, CHIMÈNE,
DON SANCHE, DON ARIAS, DON ALONSE.

CHIMÈNE

Sire, Sire, justice !

DON DIÈGUE

Ah ! Sire, écoutez-nous.

CHIMÈNE

Je me jette à vos pieds.

DON DIÈGUE

J'embrasse[1] vos genoux.

CHIMÈNE

Je demande justice.

DON DIÈGUE

Entendez ma défense.

CHIMÈNE

650 D'un jeune audacieux punissez l'insolence :
Il a de votre sceptre abattu le soutien,
Il a tué mon père.

DON DIÈGUE

Il a vengé le sien.

---

1. **Embrasse** : enlace.

CHIMÈNE

Au sang de ses sujets un roi doit la justice.

DON DIÈGUE

Pour la juste vengeance il n'est point de supplice.

DON FERNAND

655 Levez-vous l'un et l'autre, et parlez à loisir[1].
Chimène, je prends part à votre déplaisir ;
D'une égale douleur je sens mon âme atteinte.

(À don Diègue.)

Vous parlerez après ; ne troublez pas sa plainte.

CHIMÈNE

Sire, mon père est mort ; mes yeux ont vu son sang
660 Couler à gros bouillons[2] de son généreux flanc[3] ;
Ce sang qui tant de fois garantit[4] vos murailles,
Ce sang qui tant de fois vous gagna des batailles,
Ce sang qui tout sorti fume encor de courroux
De se voir répandu pour d'autres que pour vous,
665 Qu'au milieu des hasards n'osait verser la guerre,
Rodrigue en votre cour vient d'en couvrir la terre.
J'ai couru sur le lieu, sans force et sans couleur :
Je l'ai trouvé sans vie. Excusez ma douleur,
Sire, la voix me manque à ce récit funeste[5] ;
670 Mes pleurs et mes soupirs vous diront mieux le reste.

---

1. **À loisir** : ici, librement.
2. **À gros bouillons** : avec effusion.
3. **Flanc** : côté.
4. **Garantit** : protégea.
5. **Funeste** : tragique, lié à la mort.

DON FERNAND

Prends courage, ma fille, et sache qu'aujourd'hui
Ton roi te veut servir de père au lieu de lui.

CHIMÈNE

Sire, de trop d'honneur ma misère est suivie.
Je vous l'ai déjà dit, je l'ai trouvé sans vie ;
675　Son flanc était ouvert ; et, pour mieux m'émouvoir,
Son sang sur la poussière écrivait mon devoir ;
Ou plutôt sa valeur en cet état réduite
Me parlait par sa plaie, et hâtait ma poursuite[1] ;
Et, pour se faire entendre au plus juste des rois,
680　Par cette triste bouche elle empruntait ma voix.
Sire, ne souffrez pas que sous votre puissance
Règne devant vos yeux une telle licence[2] ;
Que les plus valeureux, avec impunité[3],
Soient exposés aux coups de la témérité ;
685　Qu'un jeune audacieux triomphe de leur gloire,
Se baigne dans leur sang, et brave leur mémoire.
Un si vaillant guerrier qu'on vient de vous ravir[4]
Éteint, s'il n'est vengé, l'ardeur de vous servir.
Enfin mon père est mort, j'en demande vengeance,
690　Plus pour votre intérêt que pour mon allégeance[5].
Vous perdez en la mort d'un homme de son rang :
Vengez-la par une autre, et le sang par le sang.
Immolez[6], non à moi, mais à votre couronne,
Mais à votre grandeur, mais à votre personne ;
695　Immolez, dis-je, Sire, au bien de tout l'État
Tout ce qu'enorgueillit un si haut attentat.

---

1. **Hâtait ma poursuite** : me pressait à rechercher au plus vite son meurtrier.
2. **Licence** : excès de liberté.
3. **Avec impunité** : sans punition.
4. **Ravir** : ici, ôter, enlever.
5. **Pour mon allégeance** : pour apaiser ma peine.
6. **Immolez** : sacrifiez.

DON FERNAND

Don Diègue, répondez.

DON DIÈGUE

Qu'on est digne d'envie
Lorsqu'en perdant la force on perd aussi la vie,
Et qu'un long âge apprête aux hommes généreux,
700 Au bout de leur carrière, un destin malheureux !
Moi, dont les longs travaux ont acquis tant de gloire,
Moi, que jadis partout a suivi la victoire,
Je me vois aujourd'hui, pour avoir trop vécu,
Recevoir un affront et demeurer vaincu.
705 Ce que n'a pu jamais combat, siège, embuscade,
Ce que n'a pu jamais Aragon ni Grenade,
Ni tous vos ennemis, ni tous mes envieux,
Le Comte en votre cour l'a fait presque à vos yeux,
Jaloux de votre choix, et fier de l'avantage
710 Que lui donnait sur moi l'impuissance de l'âge.
Sire, ainsi ces cheveux blanchis sous le harnois[1],
Ce sang pour vous servir prodigué tant de fois,
Ce bras, jadis l'effroi d'une armée ennemie,
Descendaient au tombeau tous chargés d'infamie,
715 Si je n'eusse produit un fils digne de moi,
Digne de son pays et digne de son roi.
Il m'a prêté sa main, il a tué le Comte ;
Il m'a rendu l'honneur, il a lavé ma honte.
Si montrer du courage et du ressentiment,
720 Si venger un soufflet mérite un châtiment,
Sur moi seul doit tomber l'éclat de la tempête :
Quand le bras a failli, l'on en punit la tête.
Qu'on nomme crime, ou non, ce qui fait nos débats,
Sire, j'en suis la tête, il n'en est que le bras.

---

1. Harnois : armure.

725 Si Chimène se plaint qu'il a tué son père,
  Il ne l'eût jamais fait si je l'eusse pu faire.
  Immolez donc ce chef[1] que les ans vont ravir,
  Et conservez pour vous le bras qui peut servir.
  Aux dépens de mon sang satisfaites Chimène :
730 Je n'y résiste point, je consens à ma peine ;
  Et loin de murmurer[2] d'un rigoureux décret[3],
  Mourant sans déshonneur, je mourrai sans regret.

DON FERNAND

  L'affaire est d'importance, et, bien considérée,
  Mérite en plein conseil d'être délibérée[4].
735 Don Sanche, remettez Chimène en sa maison.
  Don Diègue aura ma cour et sa foi[5] pour prison.
  Qu'on me cherche son fils. Je vous ferai justice.

CHIMÈNE

  Il est juste, grand Roi, qu'un meurtrier périsse.

DON FERNAND

  Prends du repos, ma fille, et calme tes douleurs.

CHIMÈNE

740 M'ordonner du repos, c'est croître[6] mes malheurs.

---

1. Chef : tête ; l'auteur joue ici sur les deux sens du mot « chef ».
2. Murmurer : protester (sens du mot au XVIIᵉ siècle).
3. Décret : décision officielle.
4. Délibérée : débattue.
5. Foi : parole, promesse.
6. Croître : accroître, augmenter.

A. de Bayalos, illustration pour *Le Cid*
de Pierre Corneille, gravure, 1857.

ACTE III

✦

Scène 1

DON RODRIGUE, ELVIRE.

Chez Chimène.

ELVIRE

Rodrigue, qu'as-tu fait? où viens-tu, misérable?

DON RODRIGUE

Suivre le triste cours de mon sort déplorable[1].

ELVIRE

Où prends-tu cette audace et ce nouvel orgueil,
De paraître en des lieux que tu remplis de deuil?
745 Quoi! viens-tu jusqu'ici braver[2] l'ombre du Comte?
Ne l'as-tu pas tué?

DON RODRIGUE

       Sa vie était ma honte:
Mon honneur de ma main a voulu cet effort.

---

1. Déplorable: digne d'être plaint.
2. Braver: provoquer.

ELVIRE

Mais chercher ton asile[1] en la maison du mort !
Jamais un meurtrier en fit-il son refuge ?

DON RODRIGUE

750 Et je n'y viens aussi que m'offrir à mon juge.
Ne me regarde plus d'un visage étonné[2] ;
Je cherche le trépas après l'avoir donné.
Mon juge est mon amour, mon juge est ma Chimène :
Je mérite la mort de mériter sa haine,
755 Et j'en viens recevoir, comme un bien souverain[3],
Et l'arrêt[4] de sa bouche, et le coup de sa main.

ELVIRE

Fuis plutôt de ses yeux, fuis de sa violence ;
À ses premiers transports[5] dérobe ta présence :
Va, ne t'expose point aux premiers mouvements
760 Que poussera l'ardeur de ses ressentiments.

DON RODRIGUE

Non, non, ce cher objet[6] à qui j'ai pu déplaire
Ne peut pour mon supplice avoir trop de colère ;
Et j'évite cent morts qui me vont accabler,
Si pour mourir plus tôt je puis la redoubler.

ELVIRE

765 Chimène est au palais, de pleurs toute baignée,
Et n'en reviendra point que bien accompagnée.

---

1. **Asile** : refuge.
2. **Étonné** : épouvanté, bouleversé (sens du mot au XVIIᵉ siècle).
3. **Souverain** : au-dessus des autres.
4. **Arrêt** : verdict, sentence.
5. **Transports** : vives réactions, ici dues à la colère.
6. **Objet** : objet de l'amour, femme aimée.

Rodrigue, fuis, de grâce : ôte-moi de souci.
Que ne dira-t-on point si l'on te voit ici ?
Veux-tu qu'un médisant, pour comble à sa misère,
770 L'accuse d'y souffrir l'assassin de son père ?
Elle va revenir ; elle vient, je la voi[1] :
Du moins, pour son honneur, Rodrigue, cache-toi.

Scène 2

DON SANCHE, CHIMÈNE, ELVIRE.

DON SANCHE

Oui, Madame, il vous faut de sanglantes victimes :
Votre colère est juste, et vos pleurs légitimes[2] ;
775 Et je n'entreprends pas, à force de parler,
Ni de vous adoucir, ni de vous consoler.
Mais si de vous servir je puis être capable,
Employez mon épée à punir le coupable ;
Employez mon amour à venger cette mort :
780 Sous vos commandements mon bras sera trop[3] fort.

---

1. Voi : vois ; il s'agit d'une forme admise en poésie, ici employée pour la rime pour l'œil avec « toi ».
2. Légitimes : compréhensibles.
3. Trop : très.

CHIMÈNE

Malheureuse !

DON SANCHE

De grâce, acceptez mon service.

CHIMÈNE

J'offenserais le Roi, qui m'a promis justice.

DON SANCHE

Vous savez qu'elle marche avec tant de langueur[1],
Qu'assez souvent le crime échappe à sa longueur[2] ;
785 Son cours lent et douteux fait trop perdre de larmes.
Souffrez qu'un cavalier vous venge par les armes :
La voie en est plus sûre, et plus prompte à punir.

CHIMÈNE

C'est le dernier remède ; et s'il faut y venir,
Et que de mes malheurs cette pitié vous dure,
790 Vous serez libre alors de venger mon injure[3].

DON SANCHE

C'est l'unique bonheur où mon âme prétend ;
Et, pouvant l'espérer, je m'en vais trop content.

1. **Avec tant de langueur** : avec tant de faiblesse.
2. **Longueur** : lenteur.
3. **Mon injure** : l'offense qui m'a été faite.

Scène 3

CHIMÈNE, ELVIRE.

CHIMÈNE

Enfin je me vois libre, et je puis sans contrainte
De mes vives douleurs te faire voir l'atteinte[1];
795 Je puis donner passage à mes tristes soupirs;
Je puis t'ouvrir mon âme et tous mes déplaisirs.
Mon père est mort, Elvire; et la première épée
Dont s'est armé Rodrigue, a sa trame coupée[2].
Pleurez, pleurez, mes yeux, et fondez-vous en eau!
800 La moitié de ma vie a mis l'autre au tombeau[3],
Et m'oblige à venger, après ce coup funeste,
Celle que je n'ai plus sur celle qui me reste.

ELVIRE

Reposez-vous, Madame.

CHIMÈNE

Ah! que mal à propos[4]
Dans un malheur si grand tu parles de repos!
805 Par où sera jamais ma douleur apaisée,
Si je ne puis haïr la main qui l'a causée?
Et que dois-je espérer qu'un tourment éternel,
Si je poursuis[5] un crime, aimant le criminel!

---

1. L'atteinte: la blessure.
2. A sa trame coupée: a coupé le fil de sa vie; allusion aux Parques qui, dans la mythologie romaine, sont trois déesses qui président au destin des Hommes en filant, déroulant ou coupant le fil de la vie.
3. La moitié de ma vie: Rodrigue; **l'autre**: le Comte.
4. Que mal à propos: que ce conseil est mal venu.
5. Poursuis: réclame justice contre, cherche à obtenir réparation pour (sens du mot au XVIIe siècle).

ELVIRE

Il vous prive d'un père, et vous l'aimez encore !

CHIMÈNE

810 C'est peu de dire aimer, Elvire : je l'adore ;
Ma passion s'oppose à mon ressentiment ;
Dedans mon ennemi je trouve mon amant ;
Je sens qu'en dépit de toute ma colère,
Rodrigue dans mon cœur combat encor mon père :
815 Il l'attaque, il le presse, il cède, il se défend,
Tantôt fort, tantôt faible, et tantôt triomphant ;
Mais, en ce dur combat de colère et de flamme,
Il déchire mon cœur sans partager mon âme[1] ;
Et quoi que mon amour ait sur moi de pouvoir,
820 Je ne consulte[2] point pour suivre mon devoir :
Je cours sans balancer où mon honneur m'oblige.
Rodrigue m'est bien cher, son intérêt m'afflige ;
Mon cœur prend son parti ; mais, malgré son effort,
Je sais ce que je suis, et que mon père est mort.

ELVIRE

825 Pensez-vous le poursuivre ?

CHIMÈNE

                              Ah ! cruelle pensée !
Et cruelle poursuite où je me vois forcée !
Je demande sa tête, et crains de l'obtenir :
Ma mort suivra la sienne, et je le veux punir !

---

1. Âme : raison ; le conflit entre le cœur et la raison est un motif récurrent dans la littérature du XVIIe siècle.
2. Consulte : hésite.

ELVIRE

Quittez, quittez, Madame, un dessein[1] si tragique;
830   Ne vous imposez point de loi si tyrannique.

CHIMÈNE

Quoi! mon père étant mort, et presque entre mes bras,
Son sang criera vengeance, et je ne l'orrai[2] pas!
Mon cœur, honteusement surpris par d'autres charmes,
Croira ne lui devoir que d'impuissantes larmes!
835   Et je pourrai souffrir qu'un amour suborneur[3]
Sous un lâche silence étouffe mon honneur!

ELVIRE

Madame, croyez-moi, vous serez excusable
D'avoir moins de chaleur contre un objet aimable,
Contre un amant si cher: vous avez assez fait,
840   Vous avez vu le Roi; n'en pressez point l'effet,
Ne vous obstinez point en cette humeur étrange.

CHIMÈNE

Il y va de ma gloire, il faut que je me venge;
Et de quoi que nous flatte un désir amoureux,
Toute excuse est honteuse aux esprits généreux.

ELVIRE

845   Mais vous aimez Rodrigue, il ne peut vous déplaire.

CHIMÈNE

Je l'avoue.

---

1. **Dessein**: projet.
2. **Orrai**: entendrai; forme du futur du verbe «ouïr».
3. **Suborneur**: trompeur, qui me détourne du droit chemin.

ELVIRE

Après tout, que pensez-vous donc faire ?

CHIMÈNE

Pour conserver ma gloire et finir mon ennui,
Le poursuivre, le perdre[1], et mourir après lui.

Scène 4

DON RODRIGUE, CHIMÈNE, ELVIRE.

DON RODRIGUE

Eh bien ! sans vous donner la peine de poursuivre,
850   Assurez-vous l'honneur de m'empêcher de vivre.

CHIMÈNE

Elvire, où sommes-nous, et qu'est-ce que je voi[2] ?
Rodrigue en ma maison ! Rodrigue devant moi !

DON RODRIGUE

N'épargnez point mon sang : goûtez sans résistance
La douceur de ma perte et de votre vengeance.

---

1. Le perdre : causer sa perte, obtenir sa mort ; l'auteur joue probablement sur les deux sens des verbes « poursuivre » (voir note 5, p. 71) et « perdre ».
2. Voir note 1, p. 69.

CHIMÈNE

855 Hélas !

DON RODRIGUE

Écoute-moi.

CHIMÈNE

Je me meurs.

DON RODRIGUE

Un moment.

CHIMÈNE

Va, laisse-moi mourir.

DON RODRIGUE

Quatre mots seulement :
Après, ne me réponds qu'avecque[1] cette épée.

CHIMÈNE

Quoi ! du sang de mon père encor toute trempée !

DON RODRIGUE

Ma Chimène…

CHIMÈNE

Ôte moi cet objet odieux,
860 Qui reproche ton crime et ta vie à mes yeux.

---

1. Avecque : forme ancienne de « avec », qui permet de respecter la mesure de l'alexandrin.

DON RODRIGUE

Regarde-le plutôt pour exciter ta haine,
Pour croître ta colère et pour hâter ma peine[1].

CHIMÈNE

Il est teint de mon sang.

DON RODRIGUE

                    Plonge-le dans le mien,
Et fais-lui perdre ainsi la teinture du tien.

CHIMÈNE

865 Ah! quelle cruauté, qui tout en un jour tue
Le père par le fer, la fille par la vue!
Ôte-moi cet objet, je ne le puis souffrir:
Tu veux que je t'écoute, et tu me fais mourir!

DON RODRIGUE

Je fais ce que tu veux, mais sans quitter l'envie
870 De finir par tes mains ma déplorable vie;
Car enfin n'attends pas de mon affection
Un lâche repentir[2] d'une bonne action.
L'irréparable effet d'une chaleur[3] trop prompte
Déshonorait mon père, et me couvrait de honte.
875 Tu sais comme un soufflet touche un homme de cœur;
J'avais part à l'affront, j'en ai cherché l'auteur:
Je l'ai vu, j'ai vengé mon honneur et mon père;
Je le ferais encor si j'avais à le faire.
Ce n'est pas qu'en effet contre mon père et moi
880 Ma flamme assez longtemps n'ait combattu pour toi;

---

1. **Peine**: ici, châtiment.
2. **Repentir**: regret, tourment.
3. **Chaleur**: colère.

Juge de son pouvoir : dans une telle offense
J'ai pu délibérer si j'en prendrais vengeance.
Réduit[1] à te déplaire, ou souffrir un affront,
J'ai pensé qu'à son tour mon bras était trop prompt ;
885 Je me suis accusé de trop de violence ;
Et ta beauté sans doute emportait la balance[2],
À moins que d'opposer à tes plus forts appas
Qu'un homme sans honneur ne te méritait pas ;
Que, malgré cette part que j'avais en ton âme,
890 Qui m'aima généreux me haïrait infâme ;
Qu'écouter ton amour, obéir à sa voix,
C'était m'en rendre indigne et diffamer[3] ton choix.
Je te le dis encore ; et quoique j'en soupire,
Jusqu'au dernier soupir je veux bien le redire :
895 Je t'ai fait une offense, et j'ai dû m'y porter[4]
Pour effacer ma honte, et pour te mériter ;
Mais quitte envers[5] l'honneur, et quitte envers mon père,
C'est maintenant à toi que je viens satisfaire.
C'est pour t'offrir mon sang qu'en ce lieu tu me vois.
900 J'ai fait ce que j'ai dû, je fais ce que je dois.
Je sais qu'un père mort t'arme contre mon crime ;
Je ne t'ai pas voulu dérober ta victime :
Immole avec courage au sang qu'il a perdu
Celui qui met sa gloire à l'avoir répandu.

CHIMÈNE

905 Ah ! Rodrigue, il est vrai, quoique ton ennemie,
Je ne puis te blâmer d'avoir fui l'infamie ;

---

1. **Réduit** : contraint.
2. **Et ta beauté sans doute emportait la balance** : et ta beauté prenait sans doute le dessus sur toute autre considération.
3. **Diffamer** : déshonorer.
4. **M'y porter** : m'y résoudre.
5. **Quitte envers** : acquitté de, délivré de.

Et de quelque façon qu'éclatent mes douleurs,
Je ne t'accuse point, je pleure mes malheurs.
Je sais ce que l'honneur, après un tel outrage,
910 Demandait à l'ardeur d'un généreux courage :
Tu n'as fait le devoir que d'un homme de bien[1] ;
Mais aussi, le faisant, tu m'as appris le mien.
Ta funeste valeur m'instruit par ta victoire ;
Elle a vengé ton père et soutenu ta gloire :
915 Même soin me regarde[2], et j'ai, pour m'affliger,
Ma gloire à soutenir, et mon père à venger.
Hélas ! ton intérêt[3] ici me désespère :
Si quelque autre malheur m'avait ravi mon père,
Mon âme aurait trouvé dans le bien[4] de te voir
920 L'unique allégement[5] qu'elle eût pu recevoir ;
Et contre ma douleur j'aurais senti des charmes,
Quand une main si chère eût essuyé mes larmes.
Mais il me faut te perdre après l'avoir perdu ;
Cet effort sur ma flamme à mon honneur est dû ;
925 Et cet affreux devoir, dont l'ordre m'assassine,
Me force à travailler moi-même à ta ruine.
Car enfin n'attends pas de mon affection
De lâches sentiments pour ta punition.
De quoi qu'en ta faveur notre amour m'entretienne[6],
930 Ma générosité doit répondre à la tienne :
Tu t'es, en m'offensant, montré digne de moi ;
Je me dois, par ta mort, montrer digne de toi.

---

1. Homme de bien : homme d'honneur.
2. Même soin me regarde : j'ai la même préoccupation.
3. Ton intérêt : l'intérêt que je te porte.
4. Bien : bonheur.
5. Allégement : soulagement.
6. De quoi qu'en ta faveur notre amour m'entretienne : bien que notre amour plaide en ta faveur.

DON RODRIGUE

Ne diffère donc plus ce que l'honneur t'ordonne :
Il demande ma tête, et je te l'abandonne ;
935 Fais-en un sacrifice à ce noble intérêt :
Le coup m'en sera doux, aussi bien que l'arrêt.
Attendre après mon crime une lente justice,
C'est reculer ta gloire autant que mon supplice.
Je mourrai trop heureux, mourant d'un coup si beau.

CHIMÈNE

940 Va, je suis ta partie[1], et non pas ton bourreau.
Si tu m'offres ta tête, est-ce à moi de la prendre ?
Je la dois attaquer, mais tu dois la défendre ;
C'est d'un autre que toi qu'il me faut l'obtenir,
Et je dois te poursuivre, et non pas te punir.

DON RODRIGUE

945 De quoi qu'en ma faveur notre amour t'entretienne,
Ta générosité doit répondre à la mienne ;
Et pour venger un père emprunter d'autres bras,
Ma Chimène, crois-moi, c'est n'y répondre pas :
Ma main seule du mien a su venger l'offense,
950 Ta main seule du tien doit prendre la vengeance.

CHIMÈNE

Cruel ! à quel propos sur ce point t'obstiner ?
Tu t'es vengé sans aide, et tu m'en veux donner !
Je suivrai ton exemple, et j'ai trop de courage
Pour souffrir qu'avec toi ma gloire se partage.
955 Mon père et mon honneur ne veulent rien devoir
Aux traits de ton amour ni de ton désespoir.

---

1. Partie : partie adverse en justice.

DON RODRIGUE

Rigoureux point d'honneur ! hélas ! quoi que je fasse,
Ne pourrai-je à la fin obtenir cette grâce ?
Au nom d'un père mort, ou de notre amitié[1],
960   Punis-moi par vengeance, ou du moins par pitié.
Ton malheureux amant aura bien moins de peine
À mourir par ta main qu'à vivre avec ta haine.

CHIMÈNE

Va, je ne te hais point.

DON RODRIGUE

Tu le dois.

CHIMÈNE

Je ne puis.

DON RODRIGUE

Crains-tu si peu le blâme, et si peu les faux bruits[2] ?
965   Quand on saura mon crime, et que ta flamme dure,
Que ne publieront point l'envie et l'imposture[3] !
Force-les au silence, et sans plus discourir,
Sauve ta renommée en me faisant mourir.

CHIMÈNE

Elle éclate bien mieux en te laissant la vie ;
970   Et je veux que la voix de la plus noire envie
Élève au ciel[4] ma gloire et plaigne mes ennuis,
Sachant que je t'adore et que je te poursuis.

---

1. Amitié : amour.
2. Bruits : rumeurs.
3. Que ne publieront point l'envie et l'imposture : que ne diront pas les jaloux
et les menteurs.
4. Élève au Ciel : célèbre.

Va-t'en, ne montre plus à ma douleur extrême
Ce qu'il faut que je perde, encore que je l'aime.
975 Dans l'ombre de la nuit cache bien ton départ ;
Si l'on te voit sortir, mon honneur court hasard[1].
La seule occasion qu'aura la médisance,
C'est de savoir qu'ici j'ai souffert ta présence :
Ne lui donne point lieu d'attaquer ma vertu.

DON RODRIGUE

980 Que je meure !

CHIMÈNE

Va-t'en.

DON RODRIGUE
À quoi te résous-tu ?

CHIMÈNE

Malgré des feux si beaux, qui troublent ma colère,
Je ferai mon possible à bien venger mon père ;
Mais malgré la rigueur d'un si cruel devoir,
Mon unique souhait est de ne rien pouvoir.

DON RODRIGUE

985 Ô miracle d'amour !

CHIMÈNE
Ô comble de misères !

DON RODRIGUE

Que de maux et de pleurs nous coûteront nos pères !

---

1. **Court hasard** : court un risque en s'exposant aux rumeurs.

CHIMÈNE

Rodrigue, qui l'eût cru?

DON RODRIGUE

Chimène, qui l'eût dit?

CHIMÈNE

Que notre heur[1] fût si proche et sitôt se perdît?

DON RODRIGUE

Et que si près du port, contre toute apparence,
990 Un orage si prompt brisât notre espérance?

CHIMÈNE

Ah! mortelles douleurs!

DON RODRIGUE

Ah! regrets superflus!

CHIMÈNE

Va-t'en, encore un coup, je ne t'écoute plus.

DON RODRIGUE

Adieu: je vais traîner une mourante vie,
Tant que[2] par ta poursuite elle me soit ravie.

CHIMÈNE

995 Si j'en obtiens l'effet, je t'engage ma foi
De ne respirer pas un moment après toi.

---

1. **Heur**: bonheur.
2. **Tant que**: jusqu'à ce que.

Adieu: sors, et surtout garde bien qu'on te voie[1].

ELVIRE

Madame, quelques maux que le ciel nous envoie…

CHIMÈNE

Ne m'importune plus, laisse-moi soupirer,
1000 Je cherche le silence et la nuit pour pleurer.

Scène 5

DON DIÈGUE.

La place publique.

Jamais nous ne goûtons de parfaite allégresse:
Nos plus heureux succès sont mêlés de tristesse;
Toujours quelques soucis en ces événements
1005 Troublent la pureté de nos contentements.
Au milieu du bonheur mon âme en sent l'atteinte:
Je nage dans la joie, et je tremble de crainte.
J'ai vu mort l'ennemi qui m'avait outragé,
Et je ne saurais voir la main qui m'a vengé.
1010 En vain je m'y travaille[2], et d'un soin inutile,
Tout cassé que je suis, je cours toute la ville:
Ce peu que mes vieux ans m'ont laissé de vigueur
Se consume sans fruit[3] à chercher ce vainqueur.

---

1. **Garde bien qu'on te voie**: fais bien attention qu'on ne te voie pas.
2. **Travaille**: emploie.
3. **Sans fruit**: sans résultat, en vain.

À toute heure, en tous lieux, dans une nuit si sombre,
Je pense l'embrasser, et n'embrasse qu'une ombre ;
1015 Et mon amour, déçu par cet objet trompeur,
Se forme des soupçons qui redoublent ma peur.
Je ne découvre point de marques de sa fuite ;
Je crains du Comte mort les amis et la suite[1] ;
Leur nombre m'épouvante, et confond[2] ma raison.
1020 Rodrigue ne vit plus, ou respire en prison.
Justes cieux ! me trompé-je encore à l'apparence,
Ou si je vois enfin mon unique espérance ?
C'est lui, n'en doutons plus ; mes vœux sont exaucés,
Ma crainte est dissipée, et mes ennuis cessés.

Scène 6

DON DIÈGUE, DON RODRIGUE.

DON DIÈGUE

1025 Rodrigue, enfin le Ciel permet que je te voie !

DON RODRIGUE

Hélas !

DON DIÈGUE

Ne mêle point de soupirs à ma joie ;

---

1. **La suite** : l'entourage.
2. **Confond** : égare, trouble.

Laisse-moi prendre haleine[1] afin de te louer[2].
Ma valeur n'a point lieu de te désavouer[3] :
Tu l'as bien imitée, et ton illustre audace
1030 Fait bien revivre en toi les héros de ma race ;
C'est d'eux que tu descends, c'est de moi que tu viens ;
Ton premier coup d'épée égale tous les miens ;
Et d'une belle ardeur ta jeunesse animée
Par cette grande épreuve atteint ma renommée.
1035 Appui de ma vieillesse, et comble de mon heur,
Touche ces cheveux blancs à qui tu rends l'honneur,
Viens baiser cette joue, et reconnais la place
Où fut empreint l'affront que ton courage efface.

Don Rodrigue

L'honneur vous en est dû : je ne pouvais pas moins,
1040 Étant sorti[4] de vous et nourri par vos soins.
Je m'en tiens trop heureux, et mon âme est ravie
Que mon coup d'essai plaise à qui je dois la vie ;
Mais parmi vos plaisirs ne soyez point jaloux
Si je m'ose à mon tour satisfaire après vous.
1045 Souffrez qu'en liberté mon désespoir éclate ;
Assez et trop longtemps votre discours le flatte.
Je ne me repens point de vous avoir servi ;
Mais rendez-moi le bien que ce coup m'a ravi.
Mon bras, pour vous venger, armé contre ma flamme,
1050 Par ce coup glorieux m'a privé de mon âme[5] ;
Ne me dites plus rien ; pour vous j'ai tout perdu ;
Ce que je vous devais, je vous l'ai bien rendu.

---

1. **Prendre haleine** : reprendre mon souffle.
2. **Te louer** : te vanter, faire ton éloge.
3. **Désavouer** : renier.
4. **Sorti** : né.
5. **Mon âme** : ici, la femme que j'aime (terme galant).

Don DièGUE

Porte, porte plus haut le fruit de ta victoire[1] :
Je t'ai donné la vie, et tu me rends ma gloire ;
1055 Et d'autant que l'honneur m'est plus cher que le jour,
D'autant plus maintenant je te dois de retour.
Mais d'un cœur magnanime éloigne ces faiblesses ;
Nous n'avons qu'un honneur, il est tant de maîtresses !
L'amour n'est qu'un plaisir, l'honneur est un devoir.

Don RODRIGUE

1060 Ah ! que me dites-vous ?

Don DièGUE

Ce que tu dois savoir.

Don RODRIGUE

Mon honneur offensé sur moi-même se venge.
Et vous m'osez pousser à la honte du change[2] !
L'infamie est pareille, et suit également
Le guerrier sans courage et le perfide[3] amant.
1065 À ma fidélité ne faites point d'injure ;
Souffrez-moi généreux sans me rendre parjure[4] :
Mes liens sont trop forts pour être ainsi rompus ;
Ma foi m'engage encor si je n'espère plus ;
Et ne pouvant quitter ni posséder Chimène,
1070 Le trépas que je cherche est ma plus douce peine.

Don DièGUE

Il n'est pas temps encor de chercher le trépas :
Ton prince et mon pays ont besoin de ton bras.

---

1. Porte plus haut le fruit de sa victoire : célèbre davantage le résultat de ta victoire.
2. Change : infidélité.
3. Perfide : traître, cruel.
4. Sans me rendre parjure : sans trahir ma parole.

La flotte qu'on craignait, dans ce grand fleuve[1] entrée,
Croit surprendre la ville et piller la contrée.
1075 Les Mores vont descendre, et le flux et la nuit
Dans une heure à nos murs les amènent sans bruit.
La cour est en désordre, et le peuple en alarmes :
On n'entend que des cris, on ne voit que des larmes.
Dans ce malheur public mon bonheur a permis
1080 Que j'ai trouvé chez moi cinq cents de mes amis,
Qui sachant mon affront, poussés d'un même zèle[9],
Se venaient tous offrir à venger ma querelle.
Tu les as prévenus[3], mais leurs vaillantes mains
Se tremperont bien mieux au sang des Africains[4].
1085 Va marcher à leur tête où l'honneur te demande :
C'est toi que veut pour chef leur généreuse bande.
De ces vieux ennemis va soutenir l'abord[5] :
Là, si tu veux mourir, trouve une belle mort ;
Prends-en l'occasion, puisqu'elle t'est offerte ;
1090 Fais devoir à ton roi son salut à ta perte[6] ;
Mais reviens-en plutôt les palmes sur le front.
Ne borne pas ta gloire à venger un affront ;
Porte-la plus avant : force par ta vaillance
Ce monarque au pardon, et Chimène au silence ;
1095 Si tu l'aimes, apprends que revenir vainqueur,
C'est l'unique moyen de regagner son cœur.
Mais le temps est trop cher pour le perdre en paroles ;
Je t'arrête en discours, et je veux que tu voles.
Viens, suis-moi, va combattre et montrer à ton roi
1100 Que ce qu'il perd au Comte il le recouvre en toi[7].

---

1. Il s'agit du Guadalquivir.
2. Zèle : empressement.
3. Prévenus : devancés.
4. Il s'agit des Maures, venus d'Afrique du Nord (voir note 3, p. 54).
5. Abord : attaque.
6. Fais devoir à ton roi son salut à ta perte : risque ta vie pour l'honneur de ton roi.
7. Ce qu'il perd au Comte il le recouvre en toi : ce qu'il perd avec la mort du Comte il le regagne avec toi.

Un quiz pour commencer

Cochez les bonnes réponses.

1 *Où se passe le duel entre le Comte et Rodrigue ?*
- ☐ À la cour du Roi.
- ☐ Sur une place devant le palais royal.
- ☐ Chez le Comte.

2 *Quelle nouvelle le Page vient-il porter à l'Infante ?*
- ☐ Que le Comte et don Diègue se sont réconciliés.
- ☐ Que le Comte est mort et que don Diègue l'a tué.
- ☐ Que le Comte est mort et que Rodrigue l'a tué.

3 *Que demande Chimène au Roi à la fin de l'acte II ?*
- ☐ Elle lui demande la permission de se retirer dans un couvent.
- ☐ Elle lui demande la permission d'épouser don Sanche.
- ☐ Elle lui demande de condamner le meurtrier de son père.

4 *Où Rodrigue se rend-il au début de l'acte III ?*

- ❑ Chez don Diègue.
- ❑ Chez l'Infante.
- ❑ Chez Chimène.

5 *Que propose don Sanche à Chimène ?*

- ❑ D'aller trouver le Roi pour plaider sa cause.
- ❑ De tuer Rodrigue pour la venger.
- ❑ De l'épouser pour rendre Rodrigue jaloux.

6 *Que confie Chimène à Elvire ?*

- ❑ Qu'elle n'aime plus Rodrigue et qu'elle souhaite le voir tué par don Sanche.
- ❑ Qu'elle aime toujours Rodrigue mais qu'elle souhaite le voir condamné par la justice.
- ❑ Qu'elle aime toujours Rodrigue mais qu'elle a l'intention de se suicider.

7 *Comment réagit Rodrigue en entendant la confidence de Chimène ?*

- ❑ Il brandit son épée pour que Chimène le tue sur-le-champ.
- ❑ Il écrit une lettre d'amour à Chimène pour tenter de la faire changer d'avis.
- ❑ Il part affronter don Sanche en duel.

8 *Que propose don Diègue à Rodrigue à la fin de l'acte III ?*

- ❑ D'épouser l'Infante.
- ❑ De fuir la ville pour éviter d'être condamné par la justice.
- ❑ De mourir dignement au combat en affrontant les Maures.

Des questions pour aller plus loin

→ *Étudier l'évolution des relations entre Chimène et Rodrigue*

Vers une rupture amoureuse entre Chimène et Rodrigue ?

1 Comment le rythme rapide des échanges entre le Comte et Rodrigue aux vers 397-404 souligne-t-il leur opposition ? En quoi peut-on dire que cet affrontement est d'abord un duel verbal ?

2 Étudiez les sentiments réciproques du Comte et de Rodrigue en relevant les champs lexicaux de l'éloge et du mépris à la scène 2 de l'acte II. Rodrigue se place-t-il à l'égal du Comte ? A-t-il peur du combat ?

3 Quelles sont les réactions des différents personnages à l'annonce de la mort du Comte ? Dites quel effet le récit qu'en fait Chimène aux vers 659-670 et 673-678 provoque chez les spectateurs.

4 Relevez à la scène 8 de l'acte II le vers dans lequel Chimène demande au Roi de venger la mort de son père. La jeune femme vous semble-t-elle encore éprouver de l'amour pour Rodrigue ?

5 Expliquez le vers 772 après avoir précisé où se déroule la scène. À votre avis, quel est l'intérêt d'un tel dispositif au théâtre ? Vous répondrez en vous demandant où est Rodrigue lorsque Chimène avoue à Elvire qu'elle l'aime encore.

🔍 **Zoom sur l'entretien de Chimène et Rodrigue (acte III, scène 4)**

6 Que symbolise l'épée que brandit Rodrigue au début de la scène ? Quelle réaction la vue de cet objet provoque-t-elle chez Chimène ?

7 Que propose Rodrigue à Chimène au cours de cet entretien ? Accepte-t-elle ? Citez un vers qui justifie votre réponse.

8 Rodrigue tente d'expliquer à Chimène les raisons de son geste. Analysez notamment le vers 900 en insistant sur la répétition et le temps des verbes.

9 « Va, je ne te hais point » (v. 963). Rappelez comment s'appelle cette figure de style et dites comment vous comprenez cette phrase. En quoi cette formule traduit-elle la complexité des sentiments de Chimène à l'égard de Rodrigue ?

10 Recopiez et complétez le tableau suivant à partir des répliques de Chimène dans cette scène. Quel autre personnage s'est trouvé en proie au même dilemme à l'acte I ? Que décide finalement de faire Chimène ?

Ce que l'honneur lui impose de faire	Ce que l'amour lui dicte de faire

Vers une mort héroïque pour Rodrigue ?

11 Voyant que son fils souhaite mettre fin à ses jours, don Diègue lui fait une proposition pour que sa mort reste héroïque. Laquelle ?

12 Relisez les vers 1099-1100. Comment les comprenez-vous ? Quel est l'effet produit par le mode verbal employé ?

13 Relevez le champ lexical de la gloire dans la dernière tirade de don Diègue (v. 1071-1100). Mettez sa tirade en parallèle avec celle de l'acte I (v. 237-260). Que constatez-vous ?

✔ *Rappelez-vous !*

• **La tension dramatique s'accroît dans l'acte II, avec le duel entre le Comte et Rodrigue**. La querelle qui oppose les familles de Chimène et de Rodrigue devient une affaire d'État puisque le Roi doit intervenir.

• **À l'inverse, l'acte III, qui est presque exclusivement consacré au couple Chimène/Rodrigue, constitue une pause dans l'action de la pièce**. Les spectateurs découvrent pour la première fois ce couple victime de la **fatalité**, qui leur inspire **terreur et pitié**.

De la lecture à l'écriture

 *Des mots pour mieux écrire*

1 a. *À l'aide d'un dictionnaire, identifiez l'intrus qui s'est glissé dans chacune des listes suivantes.*

A. Adorer | Inclination | Prétendant | Vaillant

B. Admirer | Magnanime | Miséricorde | Pitié

C. Confidence | Détester | Haine | Ressentiment

b. *Dites à quel champ lexical appartiennent les mots de chacune des listes.*

2 *À l'aide d'un dictionnaire, reliez les mots suivants, extraits de la pièce, à leur sens propre puis à leur sens figuré.*

	Sens propre		Sens figuré
Flamme ●	● Éclair	●	● Lignée
Foudre ●	● Liquide qui coule dans les veines	●	● Amour
Laurier ●	● Feu	●	● Gloire
Sang ●	● Plante méditerranéenne	●	● Colère

À vous d'écrire

1 Vous êtes metteur en scène et vous rédigez à l'intention des comédiens qui interprètent Chimène et Rodrigue dans la scène 4 de l'acte III une note dans laquelle vous précisez vos attentes quant au jeu de scène des deux personnages (attitude, ton, gestes et déplacements).

Consigne. Vous rédigerez votre note au présent en justifiant chacun de vos choix. Essayez d'être précis(e) et d'utiliser un vocabulaire adapté en variant les adjectifs et les verbes d'action.

2 Imaginez que Chimène ait accepté l'offre de don Sanche à la scène 2 de l'acte III et qu'elle fasse part de ses hésitations dans un monologue.

Consigne. Dans ce monologue, d'une vingtaine de lignes, Chimène se montre partagée : d'un côté, elle assume son choix ; d'un autre côté, elle le regrette. Vous développerez le champ lexical des sentiments, et emploierez des types de phrase variés.

Du texte à l'image | Histoire des arts |

• Rodrigue (Alexandre Cegarra) et Chimène (Camille Cottin) dans la mise en scène de Bénédicte Budan, théâtre Silvia Monfort, Paris, 2009.
• Rodrigue (Thibaut Corrion) et Chimène (Claire Serminon) dans la mise en scène d'Alain Ollivier, théâtre Gérard-Philipe, Saint-Denis, 2007.
• Chimène (Clio van de Walle) et Rodrigue (Olivier Bénard) et dans la mise en scène de Thomas Le Douarec, théâtre Comedia, Paris, 2009.
➡ Images reproduites en couverture et en début d'ouvrage, au verso de la couverture.

👁 *Lire l'image*

1 Quelle est la posture des personnages sur chaque image ? Qu'est-ce que cela révèle de leur relation ?

2 Décrivez les costumes des personnages. Lesquels vous semblent correspondre à la mode vestimentaire du xviie siècle ?

🖼 *Comparer le texte et l'image*

3 Quel objet Chimène tient-elle dans la main sur la photo en bas du verso de la couverture ? Sa taille vous semble-t-elle réaliste ? Grâce à cet indice, retrouvez la scène correspondante dans la pièce.

4 À votre avis, quel sentiment expriment les personnages sur les autres images ? Cela vous semble-t-il conforme à la pièce ?

🖊 *À vous de créer*

5 🖋 Au CDI ou sur Internet, faites une recherche sur un autre couple mythique au théâtre, Roméo et Juliette.
Consigne. Au brouillon, relevez dans un tableau les points communs et les différences entre la pièce *Roméo et Juliette* de William Shakespeare et *Le Cid* de Corneille, puis rédigez un court texte de présentation que vous illustrerez.

ACTE IV

❧

Scène 1

CHIMÈNE, ELVIRE.

CHIMÈNE

N'est-ce point un faux bruit? le sais-tu bien, Elvire?

ELVIRE

Vous ne croiriez jamais comme chacun l'admire,
Et porte jusqu'au ciel, d'une commune voix,
De ce jeune héros les glorieux exploits.
1105 Les Mores devant lui n'ont paru qu'à leur honte[1];
Leur abord fut bien prompt, leur fuite encor plus prompte.
Trois heures de combat laissent à nos guerriers
Une victoire entière et deux rois prisonniers.
La valeur de leur chef ne trouvait point d'obstacles.

CHIMÈNE

1110 Et la main de Rodrigue a fait tous ces miracles?

---

1. **N'ont paru qu'à leur honte** : se sont couverts de honte.

ELVIRE

De ses nobles efforts ces deux rois sont le prix :
Sa main les a vaincus, et sa main les a pris.

CHIMÈNE

De qui peux-tu savoir ces nouvelles étranges[1] ?

ELVIRE

Du peuple, qui partout fait sonner ses louanges,
1115 Le nomme de sa joie et l'objet et l'auteur,
Son ange tutélaire[2], et son libérateur.

CHIMÈNE

Et le Roi, de quel œil voit-il tant de vaillance ?

ELVIRE

Rodrigue n'ose encor paraître en sa présence ;
Mais don Diègue ravi lui présente enchaînés,
1120 Au nom de ce vainqueur, ces captifs couronnés[3],
Et demande pour grâce à ce généreux prince
Qu'il daigne[4] voir la main qui sauve la province.

CHIMÈNE

Mais n'est-il point blessé ?

ELVIRE

          Je n'en ai rien appris.
Vous changez de couleur ! reprenez vos esprits.

---

1. Étranges : ici, extraordinaires, merveilleuses.
2. Tutélaire : protecteur.
3. Il s'agit des rois maures que Rodrigue a faits prisonniers.
4. Daigne : accepte de.

La légende du Cid

Anonyme, *Bataille entre Martin Gomez et le Cid*, extrait des *Chroniques d'Espagne*, manuscrit, 1344.

➡ **Voir lecture d'images, p. 135.**

Juan Cristobal, *Statue équestre du Cid*, Burgos, Espagne, 2010.

➡ **Voir lecture d'images, p. 135.**

Anonyme, *Les Maures se soumettant à Rodrigue*, illustration, xixᵉ siècle.

➡ **Voir lecture d'images, p. 135.**

De l'affront à la vengeance

Le Comte (Nicolas Delorme) et don Diègue (Vincent Trouble) dans la mise en scène de Philippe Car, théâtre du Gymnase, Marseille, 2013.
➡ **Voir lecture d'images, p. 39.**

Don Diègue (Bruno Sermonne) et Rodrigue (Thibaut Corrion) dans la mise en scène d'Alain Ollivier, théâtre Gérard-Philipe, Saint-Denis, 2007.
➡ **Voir lecture d'images, p. 39.**

Rodrigue
(William Nadylam)
dans la mise en scène
de Declan Donnellan,
festival d'Avignon, 1998.
➡ **Voir lecture
d'images, p. 39.**

Rodrigue (Olivier Bonard)
et le Comte (Gilles Nicoleau)
dans la mise en scène
de Thomas Le Douarec,
théâtre Comedia, Paris, 2009.
➡ **Voir lecture d'images, p. 39.**

Les différentes adaptations du *Cid*

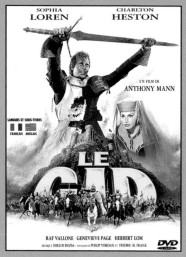

Affiche du film d'Anthony Mann, 1961.
➡ **Voir lecture d'images, p. 135.**

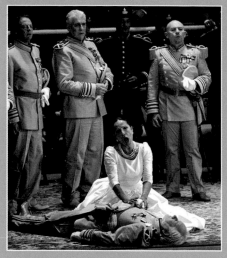

Chimène (Béatrice Uria-Mozon) et le Comte
(Jean-Marie Frémeau) dans la mise en scène
de l'opéra de Jules Massenet par Charles Roubaud,
opéra de Marseille, 2011.
➡ **Voir lecture d'images, p. 135.**

Film d'animation de José Pozo, 2003.
➡ **Voir lecture d'images, p. 135.**

CHIMÈNE

1125 Reprenons donc aussi ma colère affaiblie :
Pour avoir soin de lui faut-il que je m'oublie ?
On le vante, on le loue, et mon cœur y consent !
Mon honneur est muet, mon devoir impuissant !
Silence, mon amour, laisse agir ma colère :
1130 S'il a vaincu deux rois, il a tué mon père ;
Ces tristes vêtements[1], où je lis mon malheur,
Sont les premiers effets qu'ait produits sa valeur ;
Et quoi qu'on die[2] ailleurs d'un cœur si magnanime,
Ici tous les objets me parlent de son crime.
1135 Vous qui rendez la force à mes ressentiments,
Voiles, crêpes[3], habits, lugubres ornements[4],
Pompe[5] que me prescrit sa première victoire,
Contre ma passion soutenez bien ma gloire ;
Et lorsque mon amour prendra trop de pouvoir,
1140 Parlez à mon esprit de mon triste devoir,
Attaquez sans rien craindre une main triomphante.

ELVIRE

Modérez ces transports, voici venir l'Infante.

---

1. Chimène porte des vêtements noirs, symboles de deuil.
2. Die : dise ; forme ancienne du subjonctif présent du verbe « dire ».
3. Crêpes : tissus légers, ici de couleur noire et portés en signe de deuil.
4. Lugubres ornements : sombres parures.
5. Pompe : ici, décor funèbre.

Scène 2

L'Infante, Chimène, Léonor, Elvire.

L'Infante

Je ne viens pas ici consoler tes douleurs ;
Je viens plutôt mêler mes soupirs à tes pleurs.

Chimène

1145 Prenez bien plutôt part à la commune joie,
Et goûtez le bonheur que le ciel vous envoie,
Madame : autre que moi[1] n'a droit de soupirer.
Le péril dont Rodrigue a su nous retirer,
Et le salut public que vous rendent ses armes,
1150 À moi seule aujourd'hui souffrent encor les larmes :
Il a sauvé la ville, il a servi son roi ;
Et son bras valeureux n'est funeste qu'à moi.

L'Infante

Ma Chimène, il est vrai qu'il a fait des merveilles.

Chimène

Déjà ce bruit fâcheux a frappé mes oreilles ;
1155 Et je l'entends partout publier hautement[2]
Aussi brave guerrier que malheureux amant.

L'Infante

Qu'a de fâcheux pour toi ce discours populaire[3] ?
Ce jeune Mars qu'il loue a su jadis te plaire :

---

1. **Autre que moi** : personne d'autre que moi.
2. **Publier hautement** : proclamer publiquement.
3. **Populaire** : de la foule.

Il possédait ton âme, il vivait sous tes lois ;
1160 Et vanter sa valeur, c'est honorer ton choix.

CHIMÈNE

Chacun peut la vanter avec quelque justice ;
Mais pour moi sa louange est un nouveau supplice.
On aigrit[1] ma douleur en l'élevant si haut :
Je vois ce que je perds quand je vois ce qu'il vaut.
1165 Ah ! cruels déplaisirs à l'esprit d'une amante !
Plus j'apprends son mérite, et plus mon feu s'augmente :
Cependant mon devoir est toujours le plus fort,
Et, malgré mon amour, va poursuivre sa mort.

L'INFANTE

Hier ce devoir te mit en une haute estime ;
1170 L'effort que tu te fis parut si magnanime,
Si digne d'un grand cœur, que chacun à la cour
Admirait ton courage et plaignait ton amour.
Mais croirais-tu l'avis d'une amitié fidèle ?

CHIMÈNE

Ne vous obéir pas me rendrait criminelle.

L'INFANTE

1175 Ce qui fut juste alors ne l'est plus aujourd'hui.
Rodrigue maintenant est notre unique appui,
L'espérance et l'amour d'un peuple qui l'adore,
Le soutien de Castille, et la terreur du More.
Le Roi même est d'accord de cette vérité,
1180 Que ton père en lui seul se voit ressuscité ;
Et si tu veux enfin qu'en deux mots je m'explique,
Tu poursuis en sa mort la ruine publique.

---

1. **Aigrit** : aggrave.

Quoi ! pour venger un père est-il jamais permis
De livrer sa patrie aux mains des ennemis ?
1185 Contre nous ta poursuite est-elle légitime,
Et pour être punis avons-nous part au crime ?
Ce n'est pas qu'après tout tu doives épouser
Celui qu'un père mort t'obligeait d'accuser :
Je te voudrais moi-même en arracher l'envie ;
1190 Ôte-lui ton amour, mais laisse-nous sa vie.

CHIMÈNE

Ah ! ce n'est pas à moi d'avoir tant de bonté ;
Le devoir qui m'aigrit n'a rien de limité.
Quoique pour ce vainqueur mon amour s'intéresse,
Quoiqu'un peuple l'adore et qu'un roi le caresse[1],
1195 Qu'il soit environné des plus vaillants guerriers,
J'irai sous mes cyprès[2] accabler ses lauriers.

L'INFANTE

C'est générosité quand pour venger un père
Notre devoir attaque une tête si chère ;
Mais c'en est une encor d'un plus illustre rang,
1200 Quand on donne au public les intérêts du sang[3].
Non, crois-moi, c'est assez que d'éteindre ta flamme ;
Il sera trop puni s'il n'est plus dans ton âme.
Que le bien du pays t'impose cette loi :
Aussi bien, que crois-tu que t'accorde le Roi ?

CHIMÈNE

1205 Il peut me refuser, mais je ne puis me taire.

---

1. **Caresse** : flatte.
2. **Cyprès** : arbres plantés à l'abord des cimetières et symboles de deuil.
3. **On donne au public les intérêts du sang** : on sacrifie à l'intérêt public ses intérêts personnels.

L'Infante

Pense bien, ma Chimène, à ce que tu veux faire.
Adieu : tu pourras seule y penser à loisir.

Chimène

Après mon père mort[1], je n'ai point à choisir.

Scène 3

Don Fernand, don Diègue,
don Arias, don Rodrigue, don Sanche.

Chez le Roi.

Don Fernand

Généreux héritier d'une illustre famille,
1210   Qui fut toujours la gloire et l'appui de Castille,
Race[2] de tant d'aïeux en valeur signalés[3],
Que l'essai de la tienne a sitôt égalés,
Pour te récompenser ma force est trop petite ;
Et j'ai moins de pouvoir que tu n'as de mérite.
1215   Le pays délivré d'un si rude ennemi,
Mon sceptre dans ma main par la tienne affermi,
Et les Mores défaits[4] avant qu'en ces alarmes
J'eusse pu donner ordre à repousser leurs armes,

---

1. **Après mon père mort** : puisque mon père est mort.
2. **Race** : descendant.
3. **En valeur signalés** : rendus célèbres par leur courage.
4. **Défaits** : vaincus.

Ne sont point des exploits qui laissent à ton roi
1220 Le moyen ni l'espoir de s'acquitter vers toi.
Mais deux rois tes captifs feront ta récompense.
Ils t'ont nommé tous deux leur Cid[1] en ma présence :
Puisque Cid en leur langue est autant que seigneur,
Je ne t'envierai[2] pas ce beau titre d'honneur.
1225 Sois désormais le Cid : qu'à ce grand nom tout cède ;
Qu'il comble d'épouvante et Grenade et Tolède[3],
Et qu'il marque[4] à tous ceux qui vivent sous mes lois
Et ce que tu me vaux[5], et ce que je te dois.

DON RODRIGUE

Que Votre Majesté, Sire, épargne ma honte[6].
1230 D'un si faible service elle fait trop de conte[7],
Et me force à rougir devant un si grand roi
De mériter si peu l'honneur que j'en reçoi[8].
Je sais trop que je dois au bien de votre empire,
Et le sang qui m'anime, et l'air que je respire ;
1235 Et quand je les perdrai pour un si digne objet,
Je ferai seulement le devoir d'un sujet.

DON FERNAND

Tous ceux que ce devoir à mon service engage
Ne s'en acquittent pas avec même courage ;
Et lorsque la valeur ne va point dans l'excès,
1240 Elle ne produit point de si rares succès.

---

1. Cid : seigneur, chef ; le mot vient de l'arabe *sidi*.
2. Envierai : refuserai.
3. Grenade et Tolède : villes espagnoles sous la domination des Maures (voir note 3, p. 54).
4. Marque : montre.
5. Ce que tu me vaux : ce que tu vaux à mes yeux.
6. Honte : ici, modestie.
7. Fait trop de conte : attache trop d'importance (voir note 4, p. 43).
8. Reçoi : voir note 1, p. 69.

Souffre donc qu'on te loue, et de cette victoire
Apprends-moi plus au long[1] la véritable histoire.

DON RODRIGUE

Sire, vous avez su qu'en ce danger pressant,
Qui jeta dans la ville un effroi si puissant,
1245 Une troupe d'amis chez mon père assemblée
Sollicita[2] mon âme encor toute troublée…
Mais, Sire, pardonnez à ma témérité,
Si j'osai l'employer sans votre autorité :
Le péril approchait ; leur brigade[3] était prête ;
1250 Me montrant à la cour, je hasardais ma tête ;
Et s'il fallait la perdre, il m'était bien plus doux
De sortir de la vie en combattant pour vous.

DON FERNAND

J'excuse ta chaleur à venger ton offense ;
Et l'État défendu me parle en ta défense[4] :
1255 Crois que dorénavant Chimène a beau parler,
Je ne l'écoute plus que pour la consoler.
Mais poursuis.

DON RODRIGUE

Sous moi[5] donc cette troupe s'avance,
Et porte sur le front une mâle assurance.
Nous partîmes cinq cents ; mais par un prompt renfort,
1260 Nous nous vîmes trois mille en arrivant au port,
Tant, à nous voir marcher avec un tel visage,
Les plus épouvantés reprenaient de courage !

---

1. **Plus au long** : plus longuement, plus en détail.
2. **Sollicita** : poussa à l'action.
3. **Brigade** : troupe.
4. **L'État défendu me parle en ta défense** : l'État que tu as défendu plaide en ta faveur.
5. **Sous moi** : sous mon commandement

E. Barrias, illustration pour *Le Cid*
de Pierre Corneille, gravure, 1880.

J'en cache les deux tiers, aussitôt qu'arrivés,
Dans le fond des vaisseaux qui lors[1] furent trouvés ;
1265 Le reste, dont le nombre augmentait à toute heure,
Brûlant d'impatience, autour de moi demeure,
Se couche contre terre et, sans faire aucun bruit,
Passe une bonne part d'une si belle nuit.
Par mon commandement la garde en fait de même,
1270 Et se tenant cachée, aide à mon stratagème ;
Et je feins hardiment[2] d'avoir reçu de vous
L'ordre qu'on me voit suivre et que je donne à tous.
Cette obscure clarté qui tombe des étoiles
Enfin avec le flux nous fait voir trente voiles[3] ;
1275 L'onde[4] s'enfle dessous, et d'un commun effort
Les Mores et la mer montent jusques au port.
On les laisse passer ; tout leur paraît tranquille :
Point de soldats au port, point aux murs de la ville.
Notre profond silence abusant leurs esprits[5],
1280 Ils n'osent plus douter de nous avoir surpris ;
Ils abordent sans peur, ils ancrent[6], ils descendent,
Et courent se livrer aux mains qui les attendent.
Nous nous levons alors, et tous en même temps
Poussons jusques au ciel mille cris éclatants.
1285 Les nôtres, à ces cris, de nos vaisseaux répondent ;
Ils paraissent armés, les Mores se confondent[7],
L'épouvante les prend à demi descendus ;
Avant que de combattre, ils s'estiment perdus.
Ils couraient au pillage, et rencontrent la guerre ;
1290 Nous les pressons[8] sur l'eau, nous les pressons sur terre,

---

1. **Lors** : alors,
2. **Je feins hardiment** : je fais semblant courageusement.
3. **Voiles** : navires.
4. **L'onde** : l'eau, la mer.
5. **Abusant leurs esprits** : trompant leur vigilance.
6. **Ancrent** : jettent l'ancre
7. **Se confondent** : s'agitent dans la confusion.
8. **Pressons** : attaquons

Et nous faisons courir des ruisseaux de leur sang,
Avant qu'aucun résiste ou reprenne son rang.
Mais bientôt, malgré nous, leurs princes les rallient[1] ;
Leur courage renaît, et leurs terreurs s'oublient :
1295 La honte de mourir sans avoir combattu
Arrête leur désordre, et leur rend leur vertu.
Contre nous de pied ferme ils tirent leurs alfanges[2] ;
De notre sang au leur font d'horribles mélanges.
Et la terre, et le fleuve, et leur flotte, et le port,
1300 Sont des champs de carnage, où triomphe la mort.
Ô combien d'actions, combien d'exploits célèbres
Sont demeurés sans gloire au milieu des ténèbres,
Où chacun, seul témoin des grands coups qu'il donnait,
Ne pouvait discerner où le sort inclinait[3] !
1305 J'allais de tous côtés encourager les nôtres,
Faire avancer les uns, et soutenir les autres,
Ranger ceux qui venaient, les pousser à leur tour,
Et ne l'ai pu savoir jusques au point du jour[4].
Mais enfin sa clarté montre notre avantage :
1310 Le More voit sa perte et perd soudain courage ;
Et voyant un renfort qui nous vient secourir,
L'ardeur de vaincre cède à la peur de mourir.
Ils gagnent leurs vaisseaux, ils en coupent les câbles,
Poussent jusques aux cieux des cris épouvantables,
1315 Font retraite en tumulte, et sans considérer
Si leurs rois avec eux peuvent se retirer.
Pour souffrir ce devoir leur frayeur est trop forte ;
Le flux les apporta ; le reflux les remporte,

---

1. **Rallient** : rassemblent.
2. **Alfanges** : sabres orientaux à lame large et recourbée, aussi appelés cimeterres.
3. **Où le sort inclinait** : en faveur de qui penchait la victoire.
4. **Au point du jour** : à l'aube.

Cependant que leurs rois, engagés parmi nous[1],
1320 Et quelque peu des leurs, tous percés de nos coups,
Disputent vaillamment et vendent bien leur vie[2].
À se rendre moi-même en vain je les convie :
Le cimeterre[3] au poing, ils ne m'écoutent pas ;
Mais voyant à leurs pieds tomber tous leurs soldats,
1325 Et que seuls désormais en vain ils se défendent,
Ils demandent le chef : je me nomme, ils se rendent.
Je vous les envoyai tous deux en même temps ;
Et le combat cessa faute de combattants.
C'est de cette façon que, pour votre service

Scène 4

DON FERNAND, DON DIÈGUE, DON RODRIGUE, DON ARIAS, DON ALONSE, DON SANCHE.

DON ALONSE

1330 Sire, Chimène vient vous demander justice.

DON FERNAND

La fâcheuse nouvelle, et l'importun devoir !
Va, je ne la veux pas obliger à te voir.
Pour tous remerciements, il faut que je te chasse ;
Mais avant que sortir, viens, que ton roi t'embrasse.

---

1. **Cependant que leurs rois engagés parmi nous** : pendant que leurs rois poursuivent le combat avec nous.
2. **Vendent bien leur vie** : se battent jusqu'au bout.
3. Voir note 2, p. 106.

(Don Rodrigue rentre.)

DON DIÈGUE

1335   Chimène le poursuit, et voudrait le sauver.

DON FERNAND

On m'a dit qu'elle l'aime, et je vais l'éprouver[1].
Montrez un œil plus triste.

Scène 5

DON FERNAND, DON DIÈGUE, DON ARIAS, DON SANCHE, DON ALONSE, CHIMÈNE, ELVIRE.

DON FERNAND

Enfin, soyez contente,
Chimène, le succès[2] répond à votre attente :
Si de nos ennemis Rodrigue a le dessus,
1340   Il est mort à nos yeux des coups qu'il a reçus ;
Rendez grâces au ciel qui vous en a vengée.

(À don Diègue.)

Voyez comme déjà sa couleur est changée.

---

1. L'éprouver : mettre à l'épreuve son amour.
2. Succès : issue, bonne ou mauvaise.

Don Diègue

Mais voyez qu'elle pâme[1], et d'un amour parfait,
Dans cette pâmoison, Sire, admirez l'effet.
1345 Sa douleur a trahi les secrets de son âme,
Et ne vous permet plus de douter de sa flamme.

Chimène

Quoi ! Rodrigue est donc mort ?

Don Fernand

               Non, non, il voit le jour,
Et te conserve encore un immuable[2] amour :
Calme cette douleur qui pour lui s'intéresse.

Chimène

1350 Sire, on pâme de joie, ainsi que de tristesse :
Un excès de plaisir nous rend tous languissants[3] ;
Et quand il surprend l'âme, il accable les sens.

Don Fernand

Tu veux qu'en ta faveur nous croyions l'impossible ?
Chimène, ta douleur a paru trop visible.

Chimène

1355 Eh bien ! Sire, ajoutez ce comble à mon malheur,
Nommez ma pâmoison l'effet de ma douleur :
Un juste déplaisir à ce point m'a réduite.
Son trépas dérobait sa tête à ma poursuite ;
S'il meurt des coups reçus pour le bien du pays,
1360 Ma vengeance est perdue et mes desseins trahis :
Une si belle fin m'est trop injurieuse.

---

1. **Pâme** : s'évanouit.
2. **Immuable** : éternel, inaltérable.
3. **Languissants** : faibles.

Je demande sa mort, mais non pas glorieuse,
Non pas dans un éclat qui l'élève si haut,
Non pas au lit d'honneur, mais sur un échafaud[1] ;
1365 Qu'il meure pour mon père, et non pour la patrie ;
Que son nom soit taché, sa mémoire flétrie.
Mourir pour le pays n'est pas un triste sort ;
C'est s'immortaliser par une belle mort.
J'aime donc sa victoire, et je le puis sans crime ;
1370 Elle assure l'État et me rend ma victime,
Mais noble, mais fameuse entre tous les guerriers,
Le chef, au lieu de fleurs[2], couronné de lauriers ;
Et pour dire en un mot ce que j'en considère,
Digne d'être immolée aux mânes de mon père[3]...
1375 Hélas ! à quel espoir me laissé-je emporter !
Rodrigue de ma part n'a rien à redouter :
Que pourraient contre lui des larmes qu'on méprise ?
Pour lui tout votre empire est un lieu de franchise[4].
Là, sous votre pouvoir, tout lui devient permis ;
1380 Il triomphe de moi comme des ennemis.
Dans leur sang répandu la justice étouffée
Aux crimes du vainqueur sert d'un nouveau trophée :
Nous en croissons la pompe, et le mépris des lois
Nous fait suivre son char au milieu de deux rois.[5]

DON FERNAND

1385 Ma fille, ces transports ont trop de violence.
Quand on rend la justice on met tout en balance[6].

---

1. Non pas au lit d'honneur, mais sur un échafaud : non pas au champ d'honneur,
c'est-à-dire au combat, mais sur la place publique, condamné par la justice.
2. Allusion aux fleurs dont on couvrait la victime avant un sacrifice, dans l'Antiquité.
3. Aux mânes de mon père : à la mémoire de mon père ; dans l'Antiquité romaine,
les mânes désignaient les esprits des morts.
4. Lieu de franchise : asile, refuge où Rodrigue n'est pas menacé.
5. Allusion à la tradition qui, dans l'Antiquité romaine, consistait pour le vainqueur
d'un combat à parader lors d'une procession en char, suivi des prisonniers capturés.
6. On met tout en balance : on pèse le pour et le contre.

On a tué ton père, il était l'agresseur ;
Et la même équité[1] m'ordonne la douceur,
Avant que d'accuser ce que j'en fais paraître[2],
1390 Consulte bien ton cœur : Rodrigue en est le maître,
Et ta flamme en secret rend grâces à ton roi,
Dont la faveur conserve un tel amant pour toi.

CHIMÈNE

Pour moi ! mon ennemi ! l'objet de ma colère !
L'auteur de mes malheurs ! l'assassin de mon père !
1395 De ma juste poursuite on fait si peu de cas
Qu'on me croit obliger[3] en ne m'écoutant pas !
Puisque vous refusez la justice à mes larmes,
Sire, permettez-moi de recourir aux armes ;
C'est par là seulement qu'il a su m'outrager,
1400 Et c'est aussi par là que je me dois venger.
À tous vos cavaliers je demande sa tête :
Oui, qu'un d'eux me l'apporte, et je suis sa conquête ;
Qu'ils le combattent, Sire ; et le combat fini,
J'épouse le vainqueur, si Rodrigue est puni.
1405 Sous votre autorité souffrez qu'on le publie.

DON FERNAND

Cette vieille coutume[4] en ces lieux établie,
Sous couleur[5] de punir un injuste attentat,
Des meilleurs combattants affaiblit un État ;

---

1. Équité : impartialité.
2. Avant que d'accuser ce que j'en fais paraître : avant d'accuser ce qui te semble être de l'indulgence de ma part.
3. Qu'on me croit obliger : qu'on pense me faire plaisir.
4. Allusion au combat judiciaire : au Moyen Âge, pour prouver son innocence, un accusé pouvait demander à se battre à mort contre un autre chevalier ; s'il était vainqueur, son innocence était reconnue. L'auteur fait ici également référence à une loi adoptée en 1626, qui interdisait le duel (voir p. 174).
5. Couleur : prétexte.

Souvent de cet abus le succès déplorable
1410 Opprime l'innocent, et soutient le coupable.
J'en dispense Rodrigue : il m'est trop précieux
Pour l'exposer aux coups d'un sort capricieux ;
Et quoi qu'ait pu commettre un cœur si magnanime,
Les Mores en fuyant ont emporté son crime.

DON DIÈGUE

1415 Quoi ! Sire, pour lui seul vous renversez des lois
Qu'a vu toute la cour observer tant de fois !
Que croira votre peuple et que dira l'envie,
Si sous votre défense il ménage sa vie,
Et s'en fait un prétexte à ne paraître pas
1420 Où tous les gens d'honneur cherchent un beau trépas ?
De pareilles faveurs terniraient trop sa gloire :
Qu'il goûte sans rougir les fruits de sa victoire.
Le Comte eut de l'audace ; il l'en a su punir :
Il l'a fait en brave homme, et le doit maintenir[1].

DON FERNAND

1425 Puisque vous le voulez, j'accorde qu'il le fasse ;
Mais d'un guerrier vaincu mille prendraient la place,
Et le prix que Chimène au vainqueur a promis
De tous mes cavaliers ferait ses ennemis.
L'opposer seul à tous serait trop d'injustice :
1430 Il suffit qu'une fois il entre dans la lice[2].
Choisis qui tu voudras, Chimène, et choisis bien ;
Mais après ce combat ne demande plus rien.

DON DIÈGUE

N'excusez point par là ceux que son bras étonne :
Laissez un champ ouvert où n'entrera personne.

---

1. **Le doit maintenir** : doit le rester.
2. **Lice** : arène, champ où se déroulaient les combats.

1435 Après ce que Rodrigue a fait voir aujourd'hui,
Quel courage assez vain s'oserait prendre à lui ?
Qui se hasarderait contre un tel adversaire ?
Qui serait ce vaillant, ou bien ce téméraire ?

DON SANCHE

Faites ouvrir le champ : vous voyez l'assaillant ;
1440 Je suis ce téméraire, ou plutôt ce vaillant.
Accordez cette grâce à l'ardeur qui me presse,
Madame : vous savez quelle est votre promesse.

DON FERNAND

Chimène, remets-tu ta querelle en sa main ?

CHIMÈNE

Sire, je l'ai promis.

DON FERNAND

Soyez prêt à demain.

DON DIÈGUE

1445 Non, Sire, il ne faut pas différer[1] davantage :
On est toujours trop prêt quand on a du courage.

DON FERNAND

Sortir d'une bataille, et combattre à l'instant !

DON DIÈGUE

Rodrigue a pris haleine en vous la racontant.

----

1. **Différer** : retarder.

DON FERNAND

Du moins une heure ou deux je veux qu'il se délasse[1].
1450 Mais de peur qu'en exemple un tel combat ne passe,
Pour témoigner à tous qu'à regret je permets
Un sanglant procédé qui ne me plut jamais,
De moi ni de ma cour il n'aura la présence.

(Il parle à don Arias.)

Vous seul des combattants jugerez la vaillance :
1455 Ayez soin que tous deux fassent en gens de cœur,
Et, le combat fini, m'amenez[2] le vainqueur.
Qui qu'il soit, même prix est acquis à sa peine :
Je le veux de ma main présenter à Chimène,
Et que pour récompense il reçoive sa foi[3].

CHIMÈNE

1460 Quoi ! Sire, m'imposer une si dure loi !

DON FERNAND

Tu t'en plains ; mais ton feu, loin d'avouer[4] ta plainte,
Si Rodrigue est vainqueur, l'accepte sans contrainte.
Cesse de murmurer contre un arrêt si doux :
Qui que ce soit des deux, j'en ferai ton époux.

---

1. Se délasse : se repose.
2. M'amenez : amenez-moi.
3. Foi : ici, promesse de mariage.
4. Avouer : approuver.

ACTE V

Scène 1

DON RODRIGUE, CHIMÈNE.

Chez Chimène.

CHIMÈNE

1465 Quoi! Rodrigue, en plein jour! d'où te vient cette audace?
Va, tu me perds d'honneur[1]; retire-toi, de grâce.

DON RODRIGUE

Je vais mourir, Madame, et vous[2] viens en ce lieu,
Avant le coup mortel, dire un dernier adieu:
Cet immuable amour qui sous vos lois m'engage
1470 N'ose accepter ma mort sans vous en faire hommage.

CHIMÈNE

Tu vas mourir!

DON RODRIGUE

Je cours à ces heureux moments
Qui vont livrer ma vie à vos ressentiments.

---

1. Tu me perds d'honneur: tu me déshonores.
2. Rodrigue vouvoie maintenant Chimène.

Chimène

Tu vas mourir ! Don Sanche est-il si redoutable
Qu'il donne l'épouvante à ce cœur indomptable ?
1475 Qui t'a rendu si faible, ou qui le rend si fort ?
Rodrigue va combattre, et se croit déjà mort !
Celui qui n'a pas craint les Mores, ni mon père,
Va combattre don Sanche, et déjà désespère !
Ainsi donc au besoin[1] ton courage s'abat !

Don Rodrigue

1480 Je cours à mon supplice, et non pas au combat ;
Et ma fidèle ardeur sait bien m'ôter l'envie,
Quand vous cherchez ma mort, de défendre ma vie.
J'ai toujours même cœur ; mais je n'ai point de bras
Quand il faut conserver ce qui ne vous plaît pas ;
1485 Et déjà cette nuit m'aurait été mortelle
Si j'eusse combattu pour ma seule querelle ;
Mais défendant mon roi, son peuple et mon pays,
À me défendre mal je les aurais trahis.
Mon esprit généreux ne hait pas tant la vie
1490 Qu'il en veuille sortir par une perfidie.
Maintenant qu'il s'agit de mon seul intérêt,
Vous demandez ma mort, j'en accepte l'arrêt.
Votre ressentiment choisit la main d'un autre
(Je ne méritais pas de mourir de la vôtre).
1495 On ne me verra point en repousser les coups ;
Je dois plus de respect à qui combat pour vous ;
Et ravi de penser que c'est de vous qu'ils viennent,
Puisque c'est votre honneur que ses armes soutiennent,
Je vais lui présenter mon estomac ouvert[2],
1500 Adorant en sa main la vôtre qui me perd.

---

1. **Au besoin** : lorsque tu es dans le besoin.
2. **Mon estomac ouvert** : ma poitrine découverte.

CHIMÈNE

Si d'un triste devoir la juste violence,
Qui me fait malgré moi poursuivre ta vaillance,
Prescrit à ton amour une si forte loi
Qu'il te rend sans défense à qui combat pour moi,
1505 En cet aveuglement ne perds pas la mémoire
Qu'ainsi que de ta vie il y va de ta gloire,
Et que dans quelque éclat que Rodrigue ait vécu,
Quand on le saura mort, on le croira vaincu.
Ton honneur t'est plus cher que je ne te suis chère,
1510 Puisqu'il trempe tes mains dans le sang de mon père,
Et te fait renoncer, malgré ta passion,
À l'espoir le plus doux de ma possession :
Je t'en vois cependant faire si peu de conte,
Que sans rendre combat tu veux qu'on te surmonte[1].
1515 Quelle inégalité ravale[2] ta vertu ?
Pourquoi ne l'as-tu plus, ou pourquoi l'avais-tu ?
Quoi ? n'es-tu généreux que pour me faire outrage ?
S'il ne faut m'offenser, n'as-tu point de courage ?
Et traites-tu mon père avec tant de rigueur,
1520 Qu'après l'avoir vaincu, tu souffres un vainqueur ?
Va, sans vouloir mourir, laisse-moi te poursuivre,
Et défends ton honneur, si tu veux ne plus vivre.

DON RODRIGUE

Après la mort du Comte, et les Mores défaits,
Faudrait-il à ma gloire encor d'autres effets ?
1525 Elle peut dédaigner le soin de me défendre :
On sait que mon courage ose tout entreprendre,

---

1. **Que sans rendre combat tu veux qu'on te surmonte** : que sans combattre, tu souhaites qu'on triomphe de toi.
2. **Ravale** : diminue.

Que ma valeur peut tout, et que dessous les cieux,
Auprès de[1] mon honneur, rien ne m'est précieux.
Non, non, en ce combat, quoi que vous veuilliez croire,
1530 Rodrigue peut mourir sans hasarder sa gloire,
Sans qu'on l'ose accuser d'avoir manqué de cœur,
Sans passer pour vaincu, sans souffrir un vainqueur.
On dira seulement : « Il adorait Chimène ;
Il n'a pas voulu vivre et mériter sa haine ;
1535 Il a cédé lui-même à la rigueur du sort
Qui forçait sa maîtresse à poursuivre sa mort :
Elle voulait sa tête ; et son cœur magnanime,
S'il l'en eût refusée[2], eût pensé faire un crime.
Pour venger son honneur il perdit son amour,
1540 Pour venger sa maîtresse il a quitté le jour,
Préférant, quelque espoir qu'eût son âme asservie[3],
Son honneur à Chimène, et Chimène à sa vie. »
Ainsi donc vous verrez ma mort en ce combat,
Loin d'obscurcir ma gloire, en rehausser l'éclat ;
1545 Et cet honneur suivra mon trépas volontaire,
Que tout autre que moi n'eût pu vous satisfaire.

CHIMÈNE

Puisque pour t'empêcher de courir au trépas,
Ta vie et ton honneur sont de faibles appas,
Si jamais je t'aimai, cher Rodrigue, en revanche,
1550 Défends-toi maintenant pour m'ôter à don Sanche ;
Combats pour m'affranchir d'une condition
Qui me donne à l'objet de mon aversion[4].
Te dirai-je encor plus ? va, songe à ta défense,
Pour forcer mon devoir, pour m'imposer silence ;

---

1. **Auprès de** : comparé à.
2. **S'il en eût refusée** : s'il lui avait refusé sa tête.
3. **Asservie** : esclave de sa passion.
4. **Aversion** : haine, répugnance.

1555 Et si tu sens pour moi ton cœur encore épris,
Sors vainqueur d'un combat dont Chimène est le prix.
Adieu : ce mot lâché me fait rougir de honte.

DON RODRIGUE, *seul.*

Est-il quelque ennemi qu'à présent je ne dompte?
Paraissez, Navarrais[1], Mores et Castillans,
1560 Et tout ce que l'Espagne a nourri de vaillants ;
Unissez-vous ensemble, et faites une armée,
Pour combattre une main de la sorte animée :
Joignez tous vos efforts contre un espoir si doux ;
Pour en venir à bout, c'est trop peu que de vous[2].

Scène 2

L'INFANTE.

Chez l'Infante.

1565 T'écouterai-je encor respect de ma naissance[3],
        Qui fais un crime de mes feux?
T'écouterai-je, amour, dont la douce puissance
Contre ce fier tyran fait révolter mes vœux[4]?
        Pauvre princesse, auquel des deux
1570   Dois-tu prêter obéissance?

---

1. Navarrais : habitant de Navarre, royaume indépendant du Nord de l'Espagne.
2. C'est trop peu que de vous : vous n'êtes pas assez nombreux.
3. Respect de ma naissance : respect dû à mon rang.
4. Contre ce fier tyran fait révolter mes vœux : fait que mes désirs s'opposent au devoir dû à mon rang.

Rodrigue, ta valeur te rend digne de moi ;
Mais pour être vaillant, tu n'es pas fils de roi.
Impitoyable sort, dont la rigueur sépare
      Ma gloire d'avec mes désirs !
1575 Est-il dit que le choix d'une vertu si rare
Coûte à ma passion de si grands déplaisirs ?
      Ô cieux ! à combien de soupirs
      Faut-il que mon cœur se prépare,
Si jamais il n'obtient sur un si long tourment
1580 Ni d'éteindre l'amour, ni d'accepter l'amant !
Mais c'est trop de scrupule, et ma raison s'étonne,
      Du mépris d'un si digne choix :
Bien qu'aux monarques seuls ma naissance me donne,
Rodrigue, avec honneur je vivrai sous tes lois.
1585   Après avoir vaincu deux rois,
      Pourrais-tu manquer de couronne ?
Et ce grand nom de Cid que tu viens de gagner
Ne fait-il pas trop voir sur qui tu dois régner ?
Il est digne de moi, mais il est à Chimène ;
1590   Le don que j'en ai fait me nuit.
Entre eux la mort d'un père a si peu mis de haine,
Que le devoir du sang à regret le poursuit :
      Ainsi n'espérons aucun fruit
      De son crime, ni de ma peine,
1595 Puisque pour me punir le destin a permis
Que l'amour dure même entre deux ennemis.

Scène 3

L'INFANTE, LÉONOR.

L'INFANTE

Où viens-tu, Léonor ?

LÉONOR

              Vous applaudir, Madame,
Sur le repos qu'enfin a retrouvé votre âme.

L'INFANTE

D'où viendrait ce repos dans un comble d'ennui ?

LÉONOR

1600   Si l'amour vit d'espoir, et s'il meurt avec lui,
Rodrigue ne peut plus charmer votre courage.
Vous savez le combat où Chimène l'engage :
Puisqu'il faut qu'il y meure, ou qu'il soit son mari,
Votre espérance est morte, et votre esprit guéri.

L'INFANTE

1605   Ah ! qu'il s'en faut encor[1] !

LÉONOR

              Que pouvez vous prétendre ?

L'INFANTE

Mais plutôt quel espoir me pourrais-tu défendre ?

---

1. **Qu'il s'en faut encor** : je n'en suis pas encore rendue à ce point-là.

Si Rodrigue combat sous ces conditions,
Pour en rompre l'effet, j'ai trop d'inventions.
L'amour, ce doux auteur de mes cruels supplices,
1610 Aux esprits des amants apprend trop d'artifices.

LÉONOR

Pourrez-vous quelque chose, après qu'un père mort
N'a pu dans leurs esprits allumer de discord?
Car Chimène aisément montre par sa conduite
Que la haine aujourd'hui ne fait pas sa poursuite.
1615 Elle obtient un combat, et pour son combattant
C'est le premier offert qu'elle accepte à l'instant:
Elle n'a point recours à ces mains généreuses
Que tant d'exploits fameux rendent si glorieuses;
Don Sanche lui suffit, et mérite son choix,
1620 Parce qu'il va s'armer pour la première fois.
Elle aime en ce duel son peu d'expérience;
Comme il est sans renom, elle est sans défiance;
Et sa facilité vous doit bien faire voir
Qu'elle cherche un combat qui force son devoir,
1625 Qui livre à son Rodrigue une victoire aisée,
Et l'autorise enfin à paraître apaisée.

L'INFANTE

Je le remarque assez, et toutefois mon cœur
À l'envi de[1] Chimène adore ce vainqueur.
À quoi me résoudrai-je, amante infortunée?

LÉONOR

1630 À vous mieux souvenir de qui vous êtes née:
Le Ciel vous doit un roi, vous aimez un sujet!

----

1. **À l'envi de**: en rivalisant avec.

L'INFANTE

Mon inclination[1] a bien changé d'objet.

Je n'aime plus Rodrigue, un simple gentilhomme ;

Non, ce n'est plus ainsi que mon amour le nomme :

1635 Si j'aime, c'est l'auteur de tant de beaux exploits,

C'est le valeureux Cid, le maître de deux rois.

Je me vaincrai pourtant, non de peur d'aucun blâme,

Mais pour ne troubler pas une si belle flamme ;

Et quand pour m'obliger on l'aurait couronné,

1640 Je ne veux point reprendre un bien que j'ai donné.

Puisqu'en un tel combat sa victoire est certaine,

Allons encore un coup le donner à Chimène.

Et toi, qui vois les traits dont mon cœur est percé,

Viens me voir achever comme j'ai commencé.

Scène 4

CHIMÈNE, ELVIRE.

Chez Chimène.

CHIMÈNE

1645 Elvire, que je souffre, et que je suis à plaindre !

Je ne sais qu'espérer, et je vois tout à craindre ;

Aucun vœu ne m'échappe où j'ose consentir ;

Je ne souhaite rien sans un prompt repentir.

À deux rivaux pour moi je fais prendre les armes :

1650 Le plus heureux succès me coûtera des larmes ;

---

1. **Inclination** : penchant amoureux.

Et quoi qu'en ma faveur en ordonne le sort,
Mon père est sans vengeance, ou mon amant est mort.

ELVIRE

D'un et d'autre côté je vous vois soulagée :
Ou vous avez Rodrigue, ou vous êtes vengée ;
1655 Et quoi que le destin puisse ordonner de vous,
Il soutient votre gloire, et vous donne un époux.

CHIMÈNE

Quoi ! l'objet de ma haine ou de tant de colère !
L'assassin de Rodrigue ou celui de mon père !
De tous les deux côtés on me donne un mari
1660 Encor tout teint du sang que j'ai le plus chéri ;
De tous les deux côtés mon âme se rebelle :
Je crains plus que la mort la fin de ma querelle[1].
Allez, vengeance, amour, qui troublez mes esprits,
Vous n'avez point pour moi de douceurs à ce prix ;
1665 Et toi, puissant moteur du destin[2] qui m'outrage,
Termine ce combat sans aucun avantage,
Sans faire aucun des deux ni vaincu ni vainqueur.

ELVIRE

Ce serait vous traiter avec trop de rigueur.
Ce combat pour votre âme est un nouveau supplice,
1670 S'il vous laisse obligée à demander justice,
À témoigner toujours ce haut ressentiment,
Et poursuivre toujours la mort de votre amant.
Madame, il vaut bien mieux que sa rare vaillance,
Lui couronnant le front, vous impose silence ;

---

1. Querelle : ici, plainte en justice.
2. Puissant moteur du destin : Dieu ; dans le théâtre profane (non religieux) du XVIIᵉ siècle, Dieu n'est jamais nommé.

1675 Que la loi du combat étouffe vos soupirs,
Et que le Roi vous force à suivre vos désirs.

CHIMÈNE

Quand il sera vainqueur, crois-tu que je me rende?
Mon devoir est trop fort, et ma perte trop grande,
Et ce n'est pas assez, pour leur faire la loi,
1680 Que celle du combat et le vouloir du Roi.
Il peut vaincre don Sanche avec fort peu de peine,
Mais non pas avec lui la gloire de Chimène;
Et quoi qu'à sa victoire un monarque ait promis,
Mon honneur lui fera mille autres ennemis.

ELVIRE

1685 Gardez[1], pour vous punir de cet orgueil étrange,
Que le Ciel à la fin ne souffre qu'on vous venge.
Quoi! vous voulez encor refuser le bonheur
De pouvoir maintenant vous taire avec honneur?
Que prétend ce devoir, et qu'est-ce qu'il espère?
1690 La mort de votre amant vous rendra-t-elle un père?
Est-ce trop peu pour vous que d'un coup de malheur?
Faut-il perte sur perte, et douleur sur douleur?
Allez, dans le caprice où votre humeur s'obstine,
Vous ne méritez pas l'amant qu'on vous destine;
1695 Et nous verrons du Ciel l'équitable courroux
Vous laisser, par sa mort, don Sanche pour époux.

CHIMÈNE

Elvire, c'est assez des peines que j'endure,
Ne les redouble point de ce funeste augure[2].
Je veux, si je le puis, les éviter tous deux;

---

1. **Gardez**: faites attention, prenez garde.
2. **Augure**: présage, prédication.

1700 Sinon en ce combat Rodrigue a tous mes vœux;
Non qu'une folle ardeur de son côté me penche;
Mais s'il était vaincu, je serais à don Sanche:
Cette appréhension fait naître mon souhait.
Que vois-je, malheureuse? Elvire, c'en est fait.

Scène 5

DON SANCHE, CHIMÈNE, ELVIRE.

DON SANCHE

1705 Obligé d'apporter à vos pieds cette épée…

CHIMÈNE

Quoi! du sang de Rodrigue encor toute trempée?
Perfide, oses-tu bien te montrer à mes yeux,
Après m'avoir ôté ce que j'aimais le mieux?
Éclate, mon amour, tu n'as plus rien à craindre:
1710 Mon père est satisfait, cesse de te contraindre.
Un même coup a mis ma gloire en sûreté,
Mon âme au désespoir, ma flamme en liberté.

DON SANCHE

D'un esprit plus rassis[1]…

CHIMÈNE

Tu me parles encore,

---

1. **Rassis**: tranquille, calme.

Exécrable assassin d'un héros que j'adore ?
1715 Va, tu l'as pris en traître ; un guerrier si vaillant
N'eût jamais succombé sous un tel assaillant.
N'espère rien de moi, tu ne m'as point servie :
En croyant me venger, tu m'as ôté la vie.

DON SANCHE

Étrange impression[1], qui, loin de m'écouter…

CHIMÈNE

1720 Veux-tu que de sa mort je t'écoute vanter,
Que j'entende à loisir avec quelle insolence
Tu peindras son malheur, mon crime et ta vaillance ?

Scène 6

DON FERNAND, DON DIÈGUE, DON ARIAS, DON SANCHE, DON ALONSE, CHIMÈNE, ELVIRE.

Chez le Roi.

CHIMÈNE

Sire, il n'est plus besoin de vous dissimuler
Ce que tous mes efforts ne vous ont pu celer[2]
1725 J'aimais, vous l'avez su ; mais pour venger mon père,
J'ai bien voulu proscrire[3] une tête si chère :

---

1. **Impression** : réaction.
2. **Celer** : cacher, dissimuler.
3. **Proscrire** : condamner.

Votre Majesté, Sire, elle-même a pu voir
Comme j'ai fait céder mon amour au devoir.
Enfin Rodrigue est mort, et sa mort m'a changée
1730 D'implacable[1] ennemie en amante affligée.
J'ai dû cette vengeance à qui m'a mise au jour,
Et je dois maintenant ces pleurs à mon amour.
Don Sanche m'a perdue en prenant ma défense,
Et du bras qui me perd je suis la récompense!
1735 Sire, si la pitié peut émouvoir un roi,
De grâce, révoquez une si dure loi;
Pour prix d'une victoire où je perds ce que j'aime,
Je lui laisse mon bien; qu'il me laisse à moi-même;
Qu'en un cloître sacré je pleure incessamment[2],
1740 Jusqu'au dernier soupir, mon père et mon amant.

DON DIÈGUE

Enfin elle aime, Sire, et ne croit plus un crime
D'avouer par sa bouche un amour légitime.

DON FERNAND

Chimène, sors d'erreur, ton amant n'est pas mort,
Et don Sanche vaincu t'a fait un faux rapport.

DON SANCHE

1745 Sire, un peu trop d'ardeur malgré moi l'a déçue.
Je venais du combat lui raconter l'issue.
Ce généreux guerrier, dont son cœur est charmé:
« Ne crains rien, m'a-t-il dit, quand il m'a désarmé;
Je laisserais plutôt la victoire incertaine,
1750 Que de répandre un sang hasardé pour Chimène;

---

1. Implacable: cruelle, inflexible.
2. Qu'en un cloître sacré je pleure incessamment: que je puisse me laisser aller éternellement à mon chagrin dans un couvent.

Mais puisque mon devoir m'appelle auprès du Roi,
Va de notre combat l'entretenir pour moi,
De la part du vainqueur lui porter ton épée. »
Sire, j'y suis venu : cet objet l'a trompée ;
1755 Elle m'a vu vainqueur, me voyant de retour,
Et soudain sa colère a trahi son amour
Avec tant de transport et tant d'impatience,
Que je n'ai pu gagner un moment d'audience[1].
Pour moi, bien que vaincu, je me répute[2] heureux ;
1760 Et malgré l'intérêt de mon cœur amoureux,
Perdant infiniment, j'aime encor ma défaite,
Qui fait le beau succès d'une amour si parfaite[3].

DON FERNAND

Ma fille, il ne faut point rougir d'un si beau feu,
Ni chercher les moyens d'en faire un désaveu.
1765 Une louable honte en vain t'en sollicite :
Ta gloire est dégagée[4], et ton devoir est quitte ;
Ton père est satisfait, et c'était le venger
Que mettre tant de fois ton Rodrigue en danger.
Tu vois comme le Ciel autrement en dispose.
1770 Ayant tant fait pour lui, fais pour toi quelque chose,
Et ne sois point rebelle à mon commandement,
Qui te donne un époux aimé si chèrement[5].

---

1. **Audience** : attention, écoute attentive.
2. **Répute** : considère.
3. Au xviiᵉ siècle, le mot « amour » est parfois employé au féminin pour désigner la passion amoureuse.
4. **Ta gloire est dégagée** : tu es dégagée de toute obligation.
5. **Chèrement** : tendrement.

Scène 7

Don Fernand, don Diègue, don Arias,
don Rodrigue, don Alonse, don Sanche,
l'Infante, Chimène, Léonor, Elvire.

L'Infante

Sèche tes pleurs, Chimène, et reçois sans tristesse
Ce généreux vainqueur des mains de ta princesse.

Don Rodrigue

1775 Ne vous offensez point, Sire, si devant vous
Un respect amoureux me jette à ses genoux.
Je ne viens point ici demander ma conquête :
Je viens tout de nouveau vous apporter ma tête,
Madame ; mon amour n'emploiera point pour moi
1780 Ni la loi du combat, ni le vouloir du Roi.
Si tout ce qui s'est fait est trop peu pour un père,
Dites par quels moyens il vous faut satisfaire.
Faut-il combattre encor mille et mille rivaux,
Aux deux bouts de la terre étendre mes travaux[1],
1785 Forcer moi seul un camp, mettre en fuite une armée,
Des héros fabuleux passer[2] la renommée ?
Si mon crime par là se peut enfin laver,
J'ose tout entreprendre, et puis tout achever ;
Mais si ce fier honneur, toujours inexorable[3],
1790 Ne se peut apaiser sans la mort du coupable,
N'armez plus contre moi le pouvoir des humains :
Ma tête est à vos pieds, vengez-vous par vos mains ;

---

1. Travaux : exploits.
2. Passer : surpasser.
3. Inexorable : inflexible, impitoyable.

Vos mains seules ont droit de vaincre un invincible ;
Prenez une vengeance à tout autre impossible.
1795 Mais du moins que ma mort suffise à me punir :
Ne me bannissez point de votre souvenir ;
Et puisque mon trépas conserve votre gloire,
Pour vous en revancher[1] conservez ma mémoire,
Et dites quelquefois, en déplorant mon sort :
1800 « S'il ne m'avait aimée, il ne serait pas mort. »

CHIMÈNE

Relève-toi, Rodrigue. Il faut l'avouer, Sire,
Je vous en ai trop dit pour m'en pouvoir dédire[2].
Rodrigue a des vertus que je ne puis haïr.
Et quand un roi commande, on lui doit obéir.
1805 Mais à quoi que déjà vous m'ayez condamnée,
Pourrez-vous à vos yeux souffrir cet hyménée ?
Et quand de mon devoir vous voulez cet effort,
Toute votre justice en est-elle d'accord ?
Si Rodrigue à l'État devient si nécessaire,
1810 De ce qu'il fait pour vous dois-je être le salaire,
Et me livrer moi-même au reproche éternel
D'avoir trempé mes mains dans le sang paternel ?

DON FERNAND

Le temps assez souvent a rendu légitime
Ce qui semblait d'abord ne se pouvoir sans crime :
1815 Rodrigue t'a gagnée, et tu dois être à lui.
Mais quoique sa valeur t'ait conquise aujourd'hui,
Il faudrait que je fusse ennemi de ta gloire,
Pour lui donner sitôt le prix de sa victoire.

---

1. **Revancher** : venger.
2. **Pour m'en pouvoir dédire** : pour pouvoir maintenant dire le contraire.

Cet hymen différé ne rompt point une loi
1820 Qui sans marquer de temps lui destine ta foi[1].
Prends un an, si tu veux, pour essuyer tes larmes.
Rodrigue, cependant[2] il faut prendre les armes.
Après avoir vaincu les Mores sur nos bords,
Renversé leurs desseins, repoussé leurs efforts,
1825 Va jusqu'en leur pays leur reporter la guerre,
Commander mon armée, et ravager leur terre :
À ce nom seul de Cid ils trembleront d'effroi ;
Ils t'ont nommé seigneur, et te voudront pour roi.
Mais parmi tes hauts faits sois-lui toujours fidèle :
1830 Reviens-en, s'il se peut, encor plus digne d'elle ;
Et par tes grands exploits fais-toi si bien priser[3]
Qu'il lui soit glorieux alors de t'épouser.

DON RODRIGUE

Pour posséder Chimène, et pour votre service,
Que peut-on m'ordonner que mon bras n'accomplisse ?
1835 Quoi qu'absent de ses yeux il me faille endurer,
Sire, ce m'est trop d'heur de pouvoir espérer.

DON FERNAND

Espère en ton courage, espère en ma promesse ;
Et possédant déjà le cœur de ta maîtresse,
Pour vaincre un point d'honneur qui combat contre toi,
1840 Laisse faire le temps, ta vaillance et ton roi.

---

1. **Lui destine ta foi** : te donne à lui en mariage.
2. **Cependant** : pendant ce temps.
3. **Priser** : estimer.

Un quiz pour commencer

Cochez les bonnes réponses.

1 *Combien de temps s'est écoulé entre l'acte III et l'acte IV ?*
- ☐ Une nuit.
- ☐ Un mois.
- ☐ Un an.

2 *Qu'est-il arrivé à Rodrigue lors de son combat contre les Maures ?*
- ☐ Il a été fait prisonnier.
- ☐ Il a triomphé.
- ☐ Il est mort.

3 *Comment réagit Chimène au récit du combat de Rodrigue ?*
- ☐ Elle est admirative.
- ☐ Elle est en colère.
- ☐ Elle est indifférente.

4 *Que fait croire le Roi à Chimène à la fin de l'acte IV ?*

❏ Que Rodrigue est mort.

❏ Que Rodrigue a été fait prisonnier par les Maures.

❏ Que Rodrigue ne l'aime plus.

5 *Que vient annoncer Rodrigue à Chimène avant son duel avec don Sanche ?*

❏ Qu'il se prépare à combattre don Sanche avec force et courage.

❏ Qu'il compte se laisser tuer par don Sanche.

❏ Qu'il a demandé au Roi un délai supplémentaire.

6 *L'amour de l'Infante pour Rodrigue est-il devenu possible ?*

❏ Non, car elle est sur le point d'épouser un des rois maures qu'il vient de capturer.

❏ Non, car malgré ses exploits militaires il n'est pas fils de roi.

❏ Oui, car il n'est plus amoureux de Chimène.

7 *Comment réagit Chimène lorsqu'elle croit que don Sanche a tué Rodrigue ?*

❏ Elle est désespérée et révèle son amour pour Rodrigue.

❏ Elle est étonnée et félicite don Sanche.

❏ Elle est soulagée car la mort de Rodrigue venge celle de son père.

8 *Quelle décision prend le Roi à la fin de la pièce ?*

❏ Chimène épousera Rodrigue sur-le-champ.

❏ Chimène épousera Rodrigue le lendemain.

❏ Chimène épousera Rodrigue dans un an.

Des questions pour aller plus loin

→ *Comprendre le dénouement des conflits*

Zoom sur la bataille contre les Maures (acte IV, scène 3)

1 Qui fait le récit de la bataille contre les Maures ? Dites quel est le temps verbal majoritairement employé et quelle est sa valeur. Selon vous, pourquoi cet épisode n'est-il pas représenté sur scène ?

2 Faites une recherche sur Internet pour chercher l'origine et la signification du mot « Cid ». Qui nomme ainsi Rodrigue ? Quelle importance ce nom lui donne-t-il aux yeux du Roi ?

3 Relevez les termes élogieux que Rodrigue emploie pour désigner ses adversaires et montrez qu'il fait preuve de modestie.

4 Selon vous, quelle va être l'attitude du Roi envers Rodrigue à la suite de cette victoire ? Justifiez votre réponse.

5 [Lecture d'images] Sur les images reproduites en page I du cahier photos, comment le personnage historique qui a inspiré Rodrigue est-il représenté ? En quoi peut-on dire que ces images, et celles reproduites en page IV du cahier photos, célèbrent la gloire du Cid ?

L'amour mis à l'épreuve

6 Au début de l'acte IV, Chimène se montre-t-elle sensible au récit des exploits de Rodrigue ? Est-elle toujours déterminée à venger la mort de son père ?

7 Pourquoi le Roi fait-il croire à Chimène que Rodrigue est mort à la fin de l'acte IV ? En quoi la réaction de Chimène est-elle surprenante ?

8 Lors de son entretien avec Chimène, Rodrigue évoque «le coup mortel» (v. 1468) qui va mettre fin à ses jours. Expliquez le sens de cette expression dans ce contexte.

9 Cherchez la définition du mot «quiproquo». En quoi peut-on dire qu'il s'agit d'un quiproquo lorsque don Sanche apporte à Chimène une épée teintée de sang à la scène 5 de l'acte V ?

10 Relevez les mots de la même famille qu'«amour» et que «mort» dans la réplique de Chimène des vers 1727 à 1740. Que révèlent-ils ?

Un dénouement heureux ?

11 À la scène 6 de l'acte V, citez un vers qui permet de rétablir la vérité au sujet de la mort de Rodrigue. Selon vous, pourquoi est-ce important que ce soit le Roi qui le prononce ?

12 Comment réagissent Chimène et Rodrigue aux scènes 6 et 7 ?

13 Relevez le champ lexical du temps dans l'avant-dernière réplique du Roi. À quoi va servir le délai qu'il accorde à Chimène, pour elle et pour Rodrigue ?

14 À votre avis, le dénouement de la pièce relève-t-il de la tragédie ou de tragi-comédie ? Pour répondre, faites des recherches au CDI ou sur Internet au sujet des caractéristiques de ces deux genres dramatiques.

✔ *Rappelez-vous !*

Le dénouement permet de résoudre les conflits de l'intrigue. Ainsi, le conflit principal entre Rodrigue et Chimène connaît une **résolution heureuse** grâce au Roi, qui propose de différer le mariage pour ne pas compromettre leur honneur. Les conflits secondaires concernant l'Infante et don Sanche sont résolus dans la mesure où ces personnages se plient à la **sagesse royale** même si leur amour n'est pas satisfait.

De la lecture à l'écriture

✎ *Des mots pour mieux écrire*

1 *À l'aide d'un dictionnaire, recopiez et complétez le tableau ci-dessous en classant les adjectifs suivants.*

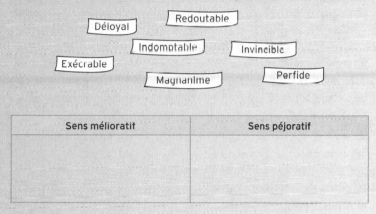

Déloyal
Redoutable
Indomptable
Invincible
Exécrable
Magnanime
Perfide

Sens mélioratif	Sens péjoratif

2 *À l'aide d'un dictionnaire, reliez chaque mot à son antonyme.*

Aversion •   • Admiration

Dédain •   • Affection

Injustice •   • Libération

Oppression •   • Équité

🖋 À vous d'écrire

1 Imaginez ce qui a pu se passer durant le délai d'un an accordé par le Roi entre la fin de la pièce et le mariage de Chimène et Rodrigue : Chimène a-t-elle accepté d'épouser Rodrigue ? Le jeune homme s'est-il illustré lors d'autres batailles ?

Consigne. Votre texte, d'une vingtaine de lignes, sera écrit au passé. Vous devrez tenir compte des informations données dans la pièce au sujet des personnages et des situations.

2 Comme Chimène, lors d'une discussion avec l'un de vos proches, vous avez cru qu'un événement terrible venait de se produire alors qu'il s'agissait précisément de l'inverse. Racontez ou imaginez cette situation.

Consigne. Votre récit, d'une vingtaine de lignes, veillera à maintenir le suspense le plus longtemps possible. Vous insérerez une partie dialoguée qui mettra en évidence le quiproquo, et vous fournirez des précisions sur le ton employé en variant les verbes introducteurs.

Du texte à l'image

• Don Sanche (V. Deniard), Chimène (C. Cottin), le Roi (B. Ouzeau), Rodrigue (A. Cegarra), l'Infante (B. Budan) et don Diègue (L. Hugny) dans la mise en scène de Bénédicte Budan, théâtre Silvia Monfort, Paris, 2009.
• L'Infante (K. Lewkowvic), don Sanche (L. Bellambe), Elvire (C. Vernet), Chimène (R. Bouchard), le Roi (C. Anrep), don Diègue (D. Clavel), don Rodrigue (M. Genet) et Léonor (E. Pace) dans la mise en scène de Bérangère Jannelle, théâtre de l'Ouest Parisien, Boulogne-Billancourt, 2007.

➡ **Images reproduites en fin d'ouvrage, au verso de la couverture.**

👁 Lire l'image

1 Comparez les deux images. Laquelle vous semble davantage insister sur une issue heureuse ? Justifiez votre réponse.

2 À quoi identifiez-vous le personnage du Roi sur chacune des images ?

📄 Comparer le texte et l'image

3 À quelle scène de la pièce correspondent les deux images ?

4 Relevez dans les actes IV et V des vers prononcés par le Roi qui traduisent son autorité et qui pourraient illustrer ces deux photographies.

📋 À vous de créer

5 Avec vos camarades de classe, interprétez cette scène du *Cid*.
Consigne. Répartissez-vous les rôles puis imaginez les décors et les costumes. Décidez du ton sur lequel chaque réplique doit être prononcée et des déplacements de chaque personnage. Après avoir répété, jouez la scène devant toute la classe.

Arrêt sur l'œuvre

Des questions sur l'ensemble de la pièce

Amour et honneur au cœur de l'intrigue

1 Recopiez et complétez le schéma suivant sur les liens qui unissent les personnages de la pièce. Que constatez-vous au sujet de Rodrigue ?

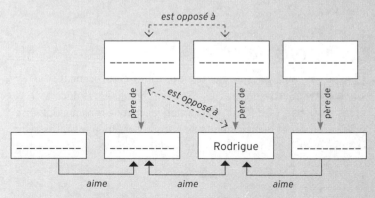

2 Retrouvez les monologues et les tirades de Rodrigue et de Chimène dans la pièce et relisez-les. Quelle valeur guide Rodrigue ? et Chimène ?

3 Quel autre personnage de la pièce est soumis à un dilemme ? Comment est-il résolu ?

Le rôle du Roi dans la résolution des conflits

4 Dressez la liste des scènes où apparaît le Roi dans l'ensemble de la pièce. Quel est son rôle dans chacune de ces scènes ?

5 Parcourez le texte de la pièce et relevez quatre vers qui montrent que le Roi incarne l'autorité.

6 Quelle solution propose le Roi à la fin de la pièce ? Peut-on dire que son intervention permet de résoudre tous les conflits ?

Le Cid, tragédie ou tragi-comédie ?

7 Selon la règle de l'unité de temps, l'action d'une pièce de théâtre doit se dérouler sur une seule journée. À votre avis, combien de temps s'écoule entre la première scène de la pièce et la promesse de mariage prononcée par le Roi ? Qu'en déduisez-vous ?

8 Selon la règle de l'unité de lieu, l'action d'une pièce de théâtre doit se dérouler en un seul et même lieu. Est-ce le cas ici ? Aidez-vous des didascalies au début de chaque acte ou de chaque scène pour répondre.

9 Selon la règle de l'unité d'action, une pièce de théâtre doit présenter une seule intrigue. Pensez-vous que Corneille respecte cette règle dans sa pièce ?

10 Corneille a remanié le dénouement de la pièce à plusieurs reprises car de nombreux critiques la jugeaient contraire à la règle de la bienséance. Au CDI ou sur Internet, faites des recherches sur la première version de la pièce, parue en 1637, et sur la règle de la bienséance. Selon vous, le dénouement du *Cid* dans la version que vous venez de lire obéit-il à cette règle ? Quel(s) changement(s) Corneille a-t-il opéré(s) ?

Des mots pour mieux écrire

Lexique de la fatalité et de la mort

Châtiment : punition.

Défunt : mort (adjectif et nom).

Destin : ensemble des événements qui constituent la vie humaine, qui sont inscrits à l'avance et qu'on ne peut pas changer.

Deuil : période qui suit la mort d'un proche ; chagrin que l'on ressent.

Fatal : qui cause la mort.

Fatalité : force qui dirige la vie humaine et contre laquelle on ne peut lutter.

Funèbre : qui se rapporte à la mort, à un enterrement.

Funeste : qui est lié à la mort, qui apporte le malheur.

Immoler : sacrifier.

Lugubre : sinistre, triste.

Parques : dans la mythologie romaine, déesses qui président au destin des Hommes en filant, déroulant ou coupant le fil de la vie.

Périr : mourir.

Trépas : mort (nom).

Mots croisés

Tous les mots à placer dans cette grille simplifiée se trouvent dans le lexique de la fatalité et de la mort.

Horizontalement

A. Au début de la pièce, Chimène craint que son amour pour Rodrigue n'ait une issue ____.

B. Justice que réclame Chimène pour venger la mort de son père.

C. Dans l'Antiquité, on croyait que ces déesses décidaient du sort des humains.

D. Don Diègue propose à son fils, qui cherche à mettre fin à ses jours, de s'engager dans la bataille contre les Maures, et de ____ ainsi dignement au combat.

Verticalement

1. À deux reprises dans la pièce, Chimène croit au ____ de Rodrigue.

2. Le ____ a voulu que le Comte donne un soufflet à don Diègue et que Rodrigue tue le père de Chimène pour venger l'honneur familial.

3. Le délai accordé par le Roi à la fin de la pièce doit permettre à Chimène de faire son ____.

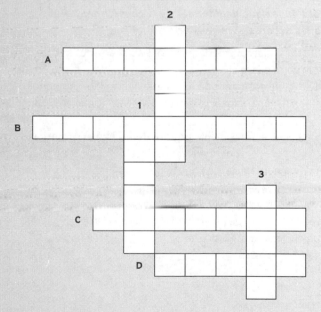

Lexique de l'honneur

Arrêt sur l'œuvre

Affront: offense faite en public à quelqu'un avec la volonté de l'humilier.

Dédain: mépris.

Déloyal: qui n'est pas fidèle aux lois de l'honneur et du respect.

Devoir: obligation morale envers quelqu'un.

Générosité: au XVIIe siècle, qualité d'une âme noble.

Gloire: grande renommée acquise grâce à ses mérites.

Illustre: qui est célèbre grâce à ses actions ou à ses qualités extraordinaires.

Infamie: honte, grave atteinte à la réputation de quelqu'un.

Laurier: arbre originaire des régions méditerranéennes, symbole de gloire et de succès militaires.

Magnanime: généreux, qui fait preuve de grandeur d'âme.

Soufflet: gifle, geste d'offense.

Vertu: qualité morale.

Complétez le résumé de la pièce ci-dessous en utilisant les mots du lexique de l'honneur qui conviennent. Pensez à faire les accords si nécessaire.

Au début de la pièce, le mariage entre Rodrigue et Chimène est sur le point d'être conclu: la _____ de la jeune femme est indiscutable et l'amour de Rodrigue inébranlable. Cependant, le père de Chimène, jaloux, offense celui de Rodrigue en lui donnant un _____. Cette _____ est _____, d'autant que don Diègue est trop faible pour se défendre seul. Rodrigue, héros _____, doit donc venger cet _____ pour sauver l'honneur familial. Il n'hésite pas longtemps à choisir entre son _____ envers son père et son amour pour Chimène et provoque le Comte en duel. Sa vaillance et son courage sont à nouveau mis à l'épreuve lors d'une bataille contre les Maures. À l'issue du combat, il arbore les _____, symboles de sa victoire et de sa _____.

À vous de créer

1 🎙️ *Enregistrer une version radiophonique du* Cid *de Corneille*
Par groupes de quatre élèves, vous allez enregistrer une version
radiophonique du *Cid* de Corneille.

Étape 1. Choix des extraits et répartition des rôles
– Repérez les scènes clés de chaque acte de la pièce et répartissez-
les entre chaque groupe.
– Intégrez des didascalies au sujet de l'intonation et de la diction.
Entraînez-vous plusieurs fois à lire votre texte à voix haute.

Étape 2. Préparation de l'émission
– Imaginez et rédigez une introduction pour présenter l'auteur
de la pièce, les interprètes et l'intrigue, en maintenant le suspense
pour les auditeurs.
– Imaginez et rédigez des intermèdes thématiques entre chaque
acte en choisissant un axe d'étude (par exemple le dilemme,
les règles du théâtre classique, le rôle du Roi dans la pièce).
Pour cela, faites des recherches documentaires sur ces thèmes
et rédigez un texte au présent en mettant en évidence deux
ou trois points essentiels.
– Créez une trame de l'émission prévoyant l'ordre de passage
de chaque prestation (lectures et intermèdes thématiques).

Étape 3. Enregistrement de l'émission
À l'aide du logiciel gratuit Audacity®, en mettant
les enregistrements bout à bout, enregistrez votre émission
radiophonique et diffusez à vos camarades du collège l'intégralité
ou une partie de la pièce de Corneille, assortie des intermèdes
thématiques.

2 🖉 Créer une carte heuristique

Par groupes de deux ou trois élèves, vous allez réaliser une carte heuristique, c'est-à-dire un schéma rendant compte de votre lecture de la pièce.

Étape 1. Repérage des informations nécessaires
– Au brouillon, faites pour chaque acte, la liste des principaux éléments de la pièce (lieux, personnages, etc.) classez-les en différentes catégories (personnages principaux qui s'aiment, qui s'opposent, personnages secondaires…).
– Cherchez au CDI ou sur Internet des illustrations libres de droit. Vous pouvez également les dessiner vous-même.

Étape 2. Création de la carte heuristique
– Créez la carte heuristique grâce au logiciel gratuit Freemind® ou en vous rendant sur Internet, à l'adresse suivante : http://www.framindmap.org/framindmap.html
– Créez la structure de la carte heuristique (une pour chaque acte). Créez autant de cases (ou « nouvelles idées ») que vous avez d'éléments à citer.
– Insérez les illustrations que vous avez recueillies ou dessinées dans les zones appropriées (par exemple une illustration du combat de Rodrigue contre les Maures dans la carte résumant l'acte IV).
– Enregistrez vos cartes heuristiques et imprimez-les.

Étape 3. Présentation et mise en commun des cartes heuristiques
– En classe entière, présentez par groupe vos cartes heuristiques.
– Comparez les différentes cartes heuristiques et votez pour celles qui vous semblent les plus réussies.

Groupements de textes

Groupement 1

Folles vengeances

Prosper Mérimée, *Mateo Falcone*

Mateo Falcone est une nouvelle réaliste écrite par Prosper Mérimée (1803-1870) et publiée en 1829. L'action se déroule dans un village de Corse, où se perpétue la tradition de la *vendetta* (vengeance). Le jeune Fortunato trahit l'honneur de son père, Mateo Falcone, en livrant un bandit du nom de Gianetto aux gendarmes, en échange d'une montre. Pour réparer cet affront, Mateo décide de punir son fils...

Giuseppa embrassa son fils et entra en pleurant dans sa cabane. Elle se jeta à genoux devant une image de la Vierge et pria avec ferveur[1]. Cependant Falcone marcha quelque deux cents pas dans le sentier et ne s'arrêta que dans un petit ravin où il descendit. Il sonda[2] la terre avec la crosse[3] de son fusil

---

1. **Ferveur** : ardeur.
2. **Sonda** : estima la profondeur.
3. **Crosse** : manche.

et la trouva molle et facile à creuser. L'endroit lui parut convenable pour son dessein[1].

« Fortunato, va auprès de cette grosse pierre. »

L'enfant fit ce qu'il lui commandait, puis il s'agenouilla.

« Dis tes prières.

– Mon père, mon père, ne me tuez pas.

– Dis tes prières ! » répéta Mateo d'une voix terrible.

L'enfant, tout en balbutiant et en sanglotant, récita le *Pater* et le *Credo*[2]. Le père, d'une voix forte, répondait *Amen !* à la fin de chaque prière.

« Sont-ce là toutes les prières que tu sais ?

– Mon père, je sais encore l'*Ave Maria*[3] et la litanie[4] que ma tante m'a apprise.

– Elle est bien longue, n'importe. »

L'enfant acheva la litanie d'une voix éteinte.

« As-tu fini ?

– Oh ! mon père, grâce ! pardonnez-moi ! Je ne le ferai plus ! Je prierai[5] tant mon cousin le caporal[6] qu'on fera grâce au Gianetto ! »

Il parlait encore ; Mateo avait armé son fusil et le couchait en joue[7] en lui disant :

« Que Dieu te pardonne ! » L'enfant fit un effort désespéré pour se relever et embrasser les genoux de son père ; mais il n'en eut pas le temps. Mateo fit feu et Fortunato tomba roide[8] mort.

Prosper Mérimée, *Mateo Falcone* [1829],
Belin-Gallimard, « Classico », 2008.

---

1. Dessein : projet.

2. Pater, Credo : prières dites en latin.

3. Ave Maria : prière adressée à la Vierge.

4. Litanie : longue prière adressée à la Vierge et aux saints.

5. Prierai : demanderai avec insistance.

6. Caporal : grade militaire ; le cousin de Fortunato, Gamba, est membre de la gendarmerie, c'est à lui que le jeune garçon a livré le bandit Gianetto.

7. Le couchait en joue : le visait.

8. Roide : raide.

Alexandre Dumas, *La Reine Margot*

La Reine Margot est un roman historique d'Alexandre Dumas (1802-1870). Boniface de La Mole et Annibal de Coconnas sont deux chevaliers vaillants et dévoués envers leurs dames, Marguerite de Navarre et Henriette de Nevers. Mais une chose les oppose : l'un est protestant et l'autre catholique. Lors de la Saint-Barthélemy, la nuit du 24 août 1572, où s'affrontent protestants et catholiques, La Mole et Coconnas combattent une première fois. Blessés, ils sont recueillis par leurs dames. Les deux ennemis convalescents se retrouvent lors d'une procession religieuse et ne résistent pas à l'envie de se venger, sous le regard de leurs protectrices...

Groupements de textes

La Mole était descendu de son cheval avec autant de mesure que Coconnas avait mis, lui, de rapidité ; il avait détaché son manteau cerise[1], l'avait posé à terre, avait tiré son épée et était tombé en garde[2].

« Aïe ! fit-il en allongeant le bras.

– Ouf ! » murmura Coconnas en déployant le sien, car tous deux, on se le rappelle, étaient blessés à l'épaule et souffraient d'un mouvement trop vif.

Un éclat de rire, mal retenu, sortit du buisson. Les princesses n'avaient pu se contraindre tout à fait en voyant les deux champions se frotter l'omoplate[3] en grimaçant. Cet éclat de rire parvint jusqu'aux deux gentilshommes[4], qui ignoraient qu'ils eussent des témoins, et qui, en se retournant, reconnurent leurs dames.

La Mole se remit en garde, ferme, comme un automate, et Coconnas engagea le fer avec un *mordi*[5] ! des plus accentués.

« Ah çà ; mais, ils y vont tout de bon et s'égorgeront si nous n'y mettons bon ordre. Assez de plaisanteries. Holà ! messieurs ! holà ! cria Marguerite.

---

1. **Cerise** : de couleur rouge foncé.
2. **Tombé en garde** : se mettre en position de défense, prêt à subir une attaque.
3. **Omoplate** : os de l'épaule.
4. **Gentilshommes** : hommes nobles.
5. **Mordi** : interjection.

– Laisse! Laisse! dit Henriette, qui, ayant vu Coconnas à l'œuvre, espérait au fond du cœur que Coconnas aurait aussi bon marché de[1] La Mole qu'il avait eu des deux neveux et du fils de Mercandon[2].

– Oh! ils sont vraiment très beaux ainsi, dit Marguerite ; regarde, on dirait qu'ils soufflent du feu ».

En effet, le combat, commencé par des railleries[3] et des provocations, était devenu silencieux depuis que les deux champions avaient croisé le fer[4]. Tous deux se défiaient[5] de leurs forces, et l'un et l'autre, à chaque mouvement trop vif, était forcé de réprimer un frisson de douleur arraché par les anciennes blessures. Cependant, les yeux fixes et ardents, la bouche entrouverte, les dents serrées, La Mole avançait à petits pas fermes et secs sur son adversaire qui, reconnaissant en lui un maître en fait d'armes, rompait[6] aussi pas à pas, mais enfin rompait. Tous deux arrivèrent ainsi jusqu'au bord du fossé, de l'autre côté duquel se trouvaient les spectateurs. Là, comme si sa retraite[7] eût été un simple calcul pour se rapprocher de sa dame, Coconnas s'arrêta, et, sur un dégagement un peu large de La Mole, fournit avec la rapidité de l'éclair un coup droit et à l'instant même le pourpoint[8] de satin blanc de La Mole s'imbiba d'une tache rouge qui allait s'élargissant.

« Courage! cria la duchesse de Nevers.

– Ah! pauvre La Mole! » fit Marguerite avec un cri de douleur.

La Mole entendit ce cri, lança à la reine un de ces regards qui pénètrent plus profondément dans le cœur que la pointe d'une épée, et sur un cercle trompé se fendit à fond[9].

---

1. **Aurait aussi bon marché de** : aurait aussi le dessus sur.
2. **Coconnas** s'est déjà illustré plusieurs fois au combat, notamment lors de duels.
3. **Railleries** : affronts, insultes.
4. **Fer** : épée.
5. **Se défiaient** : se méfiaient.
6. **Rompait** : reculait, partait.
7. **Retraite** : repli, recul.
8. **Pourpoint** : vêtement d'homme qui couvrait le torse jusqu'au-dessous de la ceinture.
9. **Se fendit à fond** : porta vivement une jambe en avant.

Cette fois les deux femmes jetèrent deux cris qui n'en firent qu'un. La pointe de la rapière[1] de La Mole avait apparu sanglante derrière le dos de Coconnas.

Cependant ni l'un ni l'autre ne tomba : tous deux restèrent debout, se regardant la bouche ouverte, sentant chacun de son côté qu'au moindre mouvement qu'il ferait l'équilibre allait lui manquer. Enfin le Piémontais[2], plus dangereusement blessé que son adversaire, et sentant que ses forces allaient fuir avec son sang, se laissa tomber sur La Mole, l'étreignant[3] de ses bras, tandis que de l'autre il cherchait à dégainer[4] son poignard. De son côté, La Mole réunit toutes ses forces, leva la main et laissa retomber le pommeau[5] de son épée au milieu du front de Coconnas, qui, étourdi du coup, tomba.

Alexandre Dumas, La Reine Margot [1845], chap. XVI,
Gallimard, «Folio classique», 2009.

Émile Zola, *Germinal*

Dans son roman *Germinal*, paru en 1885, Émile Zola (1840-1902) s'intéresse aux conditions de vie et de travail des mineurs dans le Nord de la France. Au fil des pages, le lecteur découvre le destin de la famille Maheu et suit le parcours d'Étienne Lantier, qui va mener une grève pour faire entendre la voix des mineurs et améliorer leur quotidien. Dans l'extrait suivant, les grévistes affamés se révoltent contre le commerçant Maigrat qui refuse de leur faire crédit pour qu'ils achètent du pain. Cherchant par tous les moyens à échapper à la foule et à protéger ses marchandises, par avarice, ce dernier grimpe sur la toiture du hangar au-dessus de sa boutique.

---

1. **Rapière** : longue épée, fine et tranchante.
2. **Le Piémontais** : Coconnas vient du Piémont, région au nord-ouest de l'Italie.
3. **L'étreignant** : l'enserrant, l'entourant.
4. **Dégainer** : sortir de son étui.
5. **Pommeau** : boule arrondie terminant la poignée d'une épée.

Des huées[1], presque aussitôt, éclatèrent.

– Regardez! regardez!… Le matou est là-haut! au chat! au chat!

La bande venait d'apercevoir Maigrat, sur la toiture du hangar. Dans sa fièvre, malgré sa lourdeur, il avait monté au treillage[2] avec agilité, sans se soucier des bois qui cassaient; et, maintenant, il s'aplatissait le long des tuiles, il s'efforçait d'atteindre la fenêtre. Mais la pente se trouvait très raide, il était gêné par son ventre, ses ongles s'arrachaient. Pourtant, il se serait traîné jusqu'en haut, s'il ne s'était mis à trembler, dans la crainte de recevoir des pierres; car la foule, qu'il ne voyait plus, continuait à crier, sous lui:

– Au chat! au chat!… Faut le démolir!

Et, brusquement, ses deux mains lâchèrent à la fois, il roula comme une boule, sursauta à la gouttière, tomba en travers du mur mitoyen, si malheureusement, qu'il rebondit du côté de la route, où il s'ouvrit le crâne, à l'angle d'une borne. La cervelle avait jailli. Il était mort. Sa femme, en haut, pâle et brouillée derrière les vitres, regardait toujours.

D'abord, ce fut une stupeur[3]. Étienne s'était arrêté, la hache glissée des poings. Maheu, Levaque, tous les autres, oubliaient la boutique, les yeux tournés vers le mur, où coulait lentement un mince filet rouge. Et les cris avaient cessé, un silence s'élargissait dans l'ombre croissante.

Tout de suite, les huées recommencèrent. C'étaient les femmes qui se précipitaient, prises de l'ivresse du sang.

– Il y a donc un bon Dieu! Ah! cochon, c'est fini!

Elles entouraient le cadavre encore chaud, elles l'insultaient avec des rires, traitant de sale gueule sa tête fracassée, hurlant à la face de la mort la longue rancune[4] de leur vie sans pain.

---

1. **Huées**: cris hostiles.
2. **Treillage**: grillage fixé sur un mur pour y faire pousser des plantes grimpantes.
3. **Stupeur**: stupéfaction, étonnement.
4. **Rancune**: haine, aigreur.

— Je te devais soixante francs, te voilà payé, voleur ! dit la Maheude, enragée parmi les autres. Tu ne me refuseras plus crédit… Attends ! attends ! il faut que je t'engraisse encore.

De ses dix doigts, elle grattait la terre, elle en prit deux poignées, dont elle lui emplit la bouche, violemment.

— Tiens ! mange donc !… Tiens ! mange, mange, toi qui nous mangeais !

Les injures redoublèrent, pendant que le mort, étendu sur le dos, regardait, immobile, de ses grands yeux fixes, le ciel immense d'où tombait la nuit. Cette terre, tassée dans sa bouche, c'était le pain qu'il avait refusé. Et il ne mangerait plus que de ce pain-là, maintenant. Ça ne lui avait guère porté bonheur, d'affamer le pauvre monde.

Émile Zola, *Germinal* [1885], Gallimard, «Folio classique», 1999.

Guy de Maupassant, *Une vie*

Guy de Maupassant (1850-1893) fait paraître son roman *Une vie* en 1883, dans une revue. Il y retrace le parcours de Jeanne, une jeune femme qui, après avoir été élevée dans un couvent, épouse Julien de Lamare. Leur bonheur semble idyllique. Mais l'on apprend que Julien trompe Jeanne avec leur voisine, Gilberte de Fourville. Le mari de celle-ci surprend les deux amants lors d'une promenade en fiacre. Jaloux, il décide de se venger en les précipitant du haut d'une falaise.

Avec un geste forcené[1] il poussa le verrou qui fermait l'auvent[2] au-dehors, et, saisissant les brancards[3], il se mit à secouer cette niche[4] comme s'il eût voulu la briser en pièces. Puis soudain il s'attela, pliant sa haute taille dans un effort désespéré,

---

1. Forcené : violent, enragé.
2. Auvent : sorte de toit.
3. Brancards : barres de bois qui permettent d'atteler un cheval à une voiture.
4. Il s'agit de la voiture du fiacre dans lequel se trouvent les amants ; l'emploi du mot «niche» est ici péjoratif.

tirant comme un bœuf, et haletant[1] ; et il entraîna, vers la pente rapide, la maison voyageuse et ceux qu'elle enfermait.

Ils criaient là-dedans, heurtant la cloison du poing, ne comprenant pas ce qui leur arrivait.

Lorsqu'il fut en haut de la descente, il lâcha la légère demeure qui se mit à rouler sur la côte inclinée.

Elle précipitait sa course, emportée follement, allant toujours plus vite, sautant, trébuchant comme une bête, battant la terre de ses brancards.

Un vieux mendiant blotti dans un fossé la vit passer d'un élan sur sa tête ; et il entendit des cris affreux poussés dans le coffre de bois.

Tout à coup elle perdit une roue arrachée d'un heurt, s'abattit sur le flanc[2] et se remit à dévaler comme une boule, comme une maison déracinée dégringolerait du sommet d'un mont. Puis, arrivant au rebord du dernier ravin, elle bondit en décrivant une courbe, et, tombant au fond, s'y creva comme un œuf.

Dès qu'elle se fut brisée sur le sol de pierre, le vieux mendiant, qui l'avait vue passer, descendit à petits pas à travers les ronces ; et, mû[3] par sa prudence de paysan, n'osant approcher du coffre éventré, il alla jusqu'à la ferme voisine annoncer l'accident.

On accourut ; on souleva les débris ; on aperçut deux corps. Ils étaient meurtris, broyés, saignants. L'homme avait le front ouvert et toute la face[4] écrasée. La mâchoire de la femme pendait, détachée dans un choc ; et leurs membres cassés étaient mous comme s'il n'y avait plus d'os sous la chair.

Guy de Maupassant, *Une vie* [1883], Gallimard, « Folio classique », 1999.

---

1. **Haletant** : essoufflé.
2. **Flanc** : côté.
3. **Mû** : guidé.
4. **Face** : visage.

Ouvrir son cœur : les scènes d'aveu au théâtre

William Shakespeare, *Roméo et Juliette*

William Shakespeare (1564-1616) est un auteur anglais devenu célèbre pour ses nombreuses pièces de théâtre, parmi lesquelles *Roméo et Juliette*. Cette tragédie met en scène deux jeunes amoureux dont le mariage est rendu impossible en raison de la haine que se vouent leurs deux familles, les Montaigu et les Capulet. Dans l'extrait suivant, Roméo, qui vient de surprendre Juliette seule à son balcon déclarer sa flamme, lui avoue à son tour son amour.

JULIETTE

Comment es-tu venu ici, dis-moi, et pourquoi ?
Les murs de ce verger sont hauts et difficiles à escalader,
Et ce lieu, la mort, considérant qui tu es
Si l'un de mes proches te trouve ici.

ROMÉO

Sur les ailes légères de l'amour j'ai survolé ces murs,
Car les bornes de pierre ne sauraient retenir l'amour,
Et ce que peut l'amour, l'amour ose le tenter :
Ainsi tes proches ne peuvent pas m'arrêter.

JULIETTE

S'ils te voient, ils vont t'assassiner.

ROMÉO

Hélas ! il y a plus de périls dans ton œil
Que dans vingt de leurs épées : un doux regard de toi,
Et je suis cuirassé[1] contre leur inimitié[2].

---

1. **Cuirassé** : protégé.
2. **Inimitié** : haine.

JULIETTE

Je ne voudrais pas pour le monde entier qu'ils te voient ici.

ROMÉO

J'ai le manteau de la nuit pour me cacher à leurs yeux,
Et si tu ne m'aimes pas, qu'ils me trouvent ici.
Plutôt ma vie achevée par leur haine
Que ma mort différée, s'il me manque ton amour.

JULIETTE

Qui t'a guidé pour trouver cet endroit?

ROMÉO

L'amour, qui d'abord m'a soufflé de m'enquérir[1];
Il m'a prêté son conseil, et je lui ai prêté des yeux.
Je ne suis pas pilote, pourtant serais-tu aussi loin
Que ce rivage désert lavé par la mer la plus lointaine,
Je tenterais l'aventure pour semblable cargaison.

JULIETTE

Tu sais que le masque de la nuit est sur mon visage,
Sinon une rougeur virginale colorerait ma joue
Pour ce que tu m'as entendue dire ce soir.
Volontiers je voudrais observer les convenances, volontiers,
    volontiers nier
Ce que j'ai dit, mais adieu, bonnes manières.
M'aimes-tu? Je sais que tu vas dire «oui»,
Et je te prendrai au mot; pourtant, si tu jures,
Tu peux te montrer faux; des parjures[2] des amants,
On dit que rit Jupiter[3]. Ô gentil Roméo,
Si tu aimes, proclame-le d'un cœur fidèle;
Ou si tu penses que je suis trop vite conquise,

---

1. M'a soufflé de m'enquérir: m'a poussé à venir.
2. Parjures: faux serments, promesses que l'on ne tient pas.
3. Jupiter: dans la mythologie romaine, dieu des dieux, de la Terre et du ciel, également connu pour ses nombreuses infidélités envers son épouse Junon.

Je froncerai le sourcil, et serai contrariante, et je te dirai «non»,
Pour que tu me courtises; sinon, pour rien au monde.
En vérité, bon Montaigu, je suis trop amoureuse,
Et aussi tu peux trouver ma conduite légère,
Mais crois-moi, gentilhomme[1], je me montrerai plus fidèle
Que celles qui affichent plus de timidité pour paraître distantes.
J'aurais dû être plus distante, je l'avoue,
Si tu n'avais surpris, à mon insu,
Ma passion d'amour fidèle; aussi pardonne-moi,
Et n'impute pas cette faiblesse à[2] un amour léger
Que la sombre nuit a ainsi découvert.

ROMÉO

Madame, je jure par la lune sacrée là-bas,
Qui ourle d'argent[3] la cime de ces arbres fruitiers…

JULIETTE

Oh! ne jure pas par la lune, l'inconstante lune,
Qui change tous les mois sur son orbe[4] circulaire,
De peur que ton amour ne s'avère aussi changeant.

ROMÉO

Par quoi jurerais-je?

JULIETTE

Ne jure pas du tout,
Ou si tu veux, jure par ta gracieuse personne,
Qui est le dieu de mon idolâtrie[5],
Et je te croirai.

William Shakespeare, *Roméo et Juliette* [v. 1596], acte II, scène 1,
trad. de l'anglais par J.-M. Déprats, Belin-Gallimard, «Classico», 2011.
© Gallimard.

---

1. **Gentilhomme**: homme noble.
2. **N'impute pas cette faiblesse à**: ne mets pas cette faiblesse sur le compte de.
3. **Ourle d'argent**: illumine.
4. **Orbe**: surface d'un astre.
5. **Idolâtrie**: amour excessif, poussé jusqu'au culte.

Molière, *Le Tartuffe*

Dans cette comédie représentée pour la première fois en 1664, Molière (1622-1673) dénonce l'hypocrisie religieuse à travers le personnage de Tartuffe. Imposteur, faux dévot, ce dernier s'introduit au domicile d'Orgon et profite de la naïveté de son hôte, qui le considère comme un saint homme, pour abuser de ses richesses. Dans la scène suivante, il tente même de séduire sa femme, Elmire, en lui déclarant sa flamme.

TARTUFFE

Mon sein[1] n'enferme pas un cœur qui soit de pierre.

ELMIRE

Pour moi, je crois qu'au Ciel tendent tous vos soupirs,
Et que rien ici-bas n'arrête[2] vos désirs.

TARTUFFE

L'amour qui nous attache aux beautés éternelles
N'étouffe pas en nous l'amour des temporelles[3];
Nos sens facilement peuvent être charmés[4]
Des ouvrages parfaits que le Ciel a formés.
Ses attraits réfléchis brillent dans vos pareilles;
Mais il étale en vous ses plus rares merveilles.
Il a sur votre face[5] épanché[6] des beautés
Dont les yeux sont surpris, et les cœurs transportés,
Et je n'ai pu vous voir, parfaite créature,
Sans admirer en vous l'auteur de la nature,
Et d'une ardente[7] amour sentir mon cœur atteint,
Au[8] plus beau des portraits où lui-même il s'est peint.

---

1. **Sein**: poitrine.
2. **N'arrête**: ne retient.
3. **Temporelles**: beautés.
4. **Charmés**: envoûtés, ensorcelés.
5. **Face**: visage.
6. **Épanché**: déversé.
7. **Ardente**: vive, passionnée; le mot « amour » peut être féminin.
8. **Au**: devant le.

D'abord j'appréhendai que cette ardeur secrète
Ne fût du noir esprit une surprise adroite[1] ;
Et même à fuir vos yeux mon cœur se résolut,
Vous croyant un obstacle à faire mon salut[2].
Mais enfin je connus, ô beauté toute aimable,
Que cette passion peut n'être point coupable,
Que je puis l'ajuster avecque la pudeur[3],
Et c'est ce qui m'y fait abandonner mon cœur.
Ce m'est, je le confesse, une audace bien grande
Que d'oser de ce cœur vous adresser l'offrande ;
Mais j'attends en mes vœux tout de votre bonté,
Et rien des vains efforts de mon infirmité[4] ;
En vous est mon espoir, mon bien, ma quiétude,
De vous dépend ma peine ou ma béatitude[5],
Et je vais être enfin, par votre seul arrêt[6],
Heureux, si vous voulez, malheureux, s'il vous plaît.

ELMIRE

La déclaration est tout à fait galante,
Mais elle est, à vrai dire, un peu bien surprenante,
Vous deviez[7], ce me semble, armer mieux votre sein,
Et raisonner un peu sur un pareil dessein[8].
Un dévot[9] comme vous, et que partout on nomme...

TARTUFFE

Ah ! pour être dévot, je n'en suis pas moins homme ;
Et lorsqu'on vient à voir vos célestes appas[10],

---

1. Du noir esprit une surprise adroite : un piège tendu par le diable ; « adroite »
se prononce ici « adrète » pour la rime.
2. Salut : rédemption, rachat des péchés dans la religion catholique.
3. Pudeur : décence.
4. Infirmité : faiblesse.
5. Béatitude : joie divine.
6. Arrêt : décision.
7. Deviez : auriez dû.
8. Dessein : projet.
9. Dévot : homme dévoué aux pratiques religieuses.
10. Appas : attraits, charmes.

Un cœur se laisse prendre, et ne raisonne pas.
Je sais qu'un tel discours de moi paraît étrange ;
Mais, Madame, après tout, je ne suis pas un ange ;
Et si vous condamnez l'aveu que je vous fais,
Vous devez vous en prendre à vos charmants attraits.
Dès que j'en vis briller la splendeur plus qu'humaine,
De mon intérieur[1] vous fûtes souveraine ;
De vos regards divins l'ineffable douceur
Força la résistance où s'obstinait mon cœur ;
Elle surmonta tout, jeûnes[2], prières, larmes,
Et tourna tous mes vœux du côté de vos charmes.
Mes yeux et mes soupirs vous l'ont dit mille fois,
Et pour mieux m'expliquer j'emploie ici la voix.

Molière, *Le Tartuffe* [1669], acte III, scène 3,
Belin-Gallimard, « Classico », 2016.

Jean Racine, *Phèdre*

Pour écrire *Phèdre*, tragédie représentée pour la première fois en 1677, Jean Racine (1639-1699) s'inspire de la mythologie grecque. Il met en scène une héroïne aveuglée par une passion fatale et destructrice : épouse de Thésée, Phèdre est en effet amoureuse de son beau-fils, Hippolyte. Dans l'extrait suivant, elle confie ses sentiments incestueux à sa nourrice, Œnone, et lui fait part de ses tourments.

ŒNONE

Et quel affreux projet avez-vous enfanté[3],
Dont votre cœur encor doive être épouvanté ?

---

1. **Intérieur** : cœur.
2. **Jeûnes** : actes de dévotion qui consistent à se priver totalement ou partiellement de nourriture.
3. **Enfanté** : élaboré (sens figuré).

PHÈDRE

Je t'en ai dit assez. Épargne-moi le reste.
Je meurs, pour ne point faire un aveu si funeste[1].

ŒNONE

Mourez donc, et gardez un silence inhumain.
Mais pour fermer vos yeux cherchez une autre main.
Quoiqu'il vous reste à peine une faible lumière,
Mon âme chez les morts descendra la première.
Mille chemins ouverts y conduisent toujours,
Et ma juste douleur choisira les plus courts.
Cruelle, quand ma foi[2] vous a-t-elle déçue ?
Songez-vous qu'en naissant mes bras vous ont reçue ?
Mon pays, mes enfants, pour vous j'ai tout quitté.
Réserviez-vous ce prix[3] à ma fidélité ?

PHÈDRE

Quel fruit espères-tu de tant de violence ?
Tu frémiras d'horreur si je romps le silence.

ŒNONE

Et que me direz-vous, qui ne cède[4], grands dieux !
À l'horreur de vous voir expirer[5] à mes yeux ?

PHÈDRE

Quand tu sauras mon crime, et le sort qui m'accable,
Je n'en mourrai pas moins, j'en mourrai plus coupable.

ŒNONE

Madame, au nom des pleurs que pour vous j'ai versés,
Par vos faibles genoux que je tiens embrassés[6],

---

1. **Funeste** : mortel.
2. **Foi** : confiance.
3. **Prix** : récompense.
4. **Qui ne cède** : qui surpasse.
5. **Expirer** : mourir.
6. **Embrassés** : enlacés, entre mes bras.

Délivrez mon esprit de ce funeste doute.

PHÈDRE

Tu le veux. Lève-toi.

ŒNONE

Parlez. Je vous écoute.

PHÈDRE

Ciel ! que lui vais-je dire ? Et par où commencer ?

ŒNONE

Par de vaines[1] frayeurs cessez de m'offenser.

PHÈDRE

Ô haine de Vénus ! Ô fatale colère !
Dans quels égarements l'amour jeta ma mère ![2]

ŒNONE

Oublions-les, Madame. Et qu'à tout l'avenir
Un silence éternel cache ce souvenir.

PHÈDRE

Ariane, ma sœur ! De quel amour blessée,
Vous mourûtes aux bords où vous fûtes laissée ?[3]

ŒNONE

Que faites-vous, Madame ? Et quel mortel ennui,
Contre tout votre sang[4] vous anime aujourd'hui ?

---

1. Vaines : inutiles.
2. Dans la mythologie grecque, Vénus, déesse de l'amour, maudit toute la descendance du Soleil pour avoir révélé ses amours adultères avec Mars. C'est donc elle qui a inspiré à Pasiphaé, la mère de Phèdre, un amour contre-nature pour un taureau, et qui embrase le cœur de Phèdre d'un amour coupable pour Hippolyte.
3. Dans la mythologie grecque, Ariane, la sœur de Phèdre, meurt sur l'île de Naxos, abandonnée par le héros Thésée qu'elle a suivi par amour.
4. Sang : famille.

PHÈDRE

Puisque Vénus le veut, de ce sang déplorable
Je péris la dernière, et la plus misérable[1].

ŒNONE

Aimez-vous?

PHÈDRE

De l'amour j'ai toutes les fureurs[2].

ŒNONE

Pour qui?

PHÈDRE

Tu vas ouïr[3] le comble des horreurs.
J'aime… à ce nom fatal je tremble, je frissonne.
J'aime…

ŒNONE

Qui?

PHÈDRE

Tu connais ce fils de l'Amazone[4],
Ce prince si longtemps par moi-même opprimé[5].

ŒNONE

Hippolyte! Grands dieux!

PHÈDRE

C'est toi qui l'as nommé

Jean Racine, *Phèdre* [1677], acte I, scène 3,
Belin-Gallimard, «Classico», 2015.

---

1. **Misérable**: malheureuse.
2. **Fureurs**: folies, dérèglements du comportement.
3. **Ouïr**: entendre.
4. Hippolyte est le fils de Thésée et de la reine des Amazones, Antiope.
5. **Opprimé**: rejeté.

Alfred de Musset, *On ne badine pas avec l'amour*

On ne badine pas avec l'amour est une pièce d'Alfred de Musset (1810-1857), parue en 1834, qui raconte l'histoire de deux jeunes gens, Camille et Perdican, qui s'aiment depuis toujours et doivent se marier. Mais Camille, élevée au couvent, se méfie des hommes et décide finalement de consacrer sa vie à Dieu. Blessé dans son orgueil, Perdican entreprend de séduire Rosette, la sœur de lait de Camille, afin de rendre celle-ci jalouse. L'extrait se situe à la toute fin de la pièce : Rosette, cachée, assiste à l'entrevue des deux jeunes gens, qui se révèlent enfin leur amour.

PERDICAN. – Orgueil, le plus fatal des conseillers humains, qu'es-tu venu faire entre cette fille et moi ? La voilà pâle et effrayée, qui presse sur les dalles insensibles son cœur et son visage. Elle aurait pu m'aimer, et nous étions nés l'un pour l'autre ; qu'es-tu venu faire sur nos lèvres, orgueil, lorsque nos mains allaient se joindre ?

CAMILLE. – Qui m'a suivie ? Qui parle sous cette voûte[1] ? Est-ce toi, Perdican ?

PERDICAN. – Insensés[2] que nous sommes ! nous nous aimons. Quel songe avons-nous fait, Camille ? Quelles vaines[3] paroles, quelles misérables folies ont passé comme un vent funeste entre nous deux ? Lequel de nous a voulu tromper l'autre ? Hélas ! cette vie est elle-même un si pénible rêve ; pourquoi encore y mêler les nôtres ? Ô mon Dieu, le bonheur est une perle si rare dans cet océan d'ici-bas ! Tu nous l'avais donné, pêcheur céleste, tu l'avais tiré pour nous des profondeurs de l'abîme, cet inestimable joyau ; et nous, comme des enfants gâtés que nous sommes, nous en avons fait un jouet ; le vert sentier qui nous amenait l'un vers l'autre avait une pente si

---

1. **Voûte** : plafond en pierres en forme d'arc.
2. **Insensés** : fous.
3. **Vaines** : inutiles, vaniteuses.

douce, il était entouré de buissons si fleuris, il se perdait dans un si tranquille horizon! Il a bien fallu que la vanité[1], le bavardage et la colère vinssent jeter leurs rochers informes sur cette route céleste, qui nous aurait conduits à toi dans un baiser! Il a bien fallu que nous nous fissions du mal, car nous sommes des hommes. Ô insensés! nous nous aimons.

(Il la prend dans ses bras.)

CAMILLE. – Oui, nous nous aimons, Perdican; laisse-moi le sentir sur ton cœur; ce Dieu qui nous regarde ne s'en offensera pas; il veut bien que je t'aime; il y a quinze ans qu'il le sait.

PERDICAN – Chère créature, tu es à moi!

(Il l'embrasse; on entend un grand cri derrière l'autel[2].)

CAMILLE. – C'est la voix de ma sœur de lait[3].

PERDICAN. – Comment est-elle ici! Je l'avais laissée dans l'escalier, lorsque tu m'as fait rappeler. Il faut donc qu'elle m'ait suivi, sans que je m'en sois aperçu.

CAMILLE. – Entrons dans cette galerie; c'est là qu'on a crié.

PERDICAN. – Je ne sais ce que j'éprouve; il me semble que mes mains sont couvertes de sang.

CAMILLE. – La pauvre enfant nous a sans doute épiés[4]; elle s'est encore évanouie; viens, portons-lui secours; hélas! tout cela est cruel.

PERDICAN. – Non, en vérité, je n'entrerai pas; je sens un froid mortel qui me paralyse. Vas-y, Camille, et tâche de la ramener.

(Camille sort.)

---

1. **Vanité** : désir de se faire valoir.
2. **Autel** : table sacrée sur laquelle on célèbre la messe dans une église.
3. **Sœur de lait** : fille élevée et allaitée par même la nourrice.
4. **Épiés** : surveillés.

PERDICAN. – Je vous en supplie, mon Dieu ! ne faites pas de moi un meurtrier ! Vous voyez ce qui se passe ; nous sommes deux enfants insensés, et nous avons joué avec la vie et la mort ; mais notre cœur est pur ; ne tuez pas Rosette, Dieu juste ! Je lui trouverai un mari, je réparerai ma faute ; elle est jeune, elle sera riche, elle sera heureuse ; ne faites pas cela, ô Dieu, vous pouvez bénir encore quatre de vos enfants. Eh bien ! Camille, qu'y a-t-il ?

(Camille rentre.)

CAMILLE. – Elle est morte. Adieu, Perdican.

Alfred de Musset, *On ne badine pas avec l'amour* [1834], acte III, scène 8, Belin-Gallimard, « Classico », 2012.

Groupements de textes

Edmond Rostand, *Cyrano de Bergerac*

Cyrano de Bergerac est jouée pour la première fois le 28 décembre 1897 et connaît un immense succès. Dans cette pièce, Edmond Rostand (1868-1918) met en scène Cyrano, un valeureux capitaine affublé d'un nez disgracieux, amoureux de la belle Roxane. Mais la jeune femme est éprise d'un charmant jeune homme sans esprit, Christian. Les deux hommes décident alors de s'allier et Cyrano aide Christian à séduire Roxane en lui envoyant des lettres d'amour. À la fin de la pièce, quinze ans après la mort de Christian, Roxane découvre le pacte passé entre les deux hommes, et Cyrano lui révèle enfin, à demi-mot, son amour jusqu'ici resté secret.

CYRANO

Sa lettre !… N'aviez-vous pas dit qu'un jour, peut-être,
Vous me la feriez lire ?

ROXANE

Ah ! vous voulez ?… Sa lettre ?

CYRANO

Oui… Je veux… Aujourd'hui…

ROXANE, *lui donnant le sachet pendu a son cou.*

Tenez!

CYRANO, *le prenant.*

Je peux ouvrir?

ROXANE

Ouvrez... lisez!...

Elle revient à son métier[1], le replie, range ses laines.

CYRANO, *lisant.*

« Roxane, adieu, je vais mourir!...»

ROXANE, *s'arrêtant, étonnée.*

Tout haut?

CYRANO, *lisant.*

« C'est pour ce soir, je crois, ma bien-aimée!
J'ai l'âme lourde encor d'amour inexprimée,
Et je meurs! jamais plus, jamais mes yeux grisés,
Mes regards dont c'était... »

CYRANO

« *Mon cœur ne vous quitta jamais une seconde,*
Et je suis et serai jusque dans l'autre monde
Celui qui vous aima sans mesure, celui... »

ROXANE, *lui posant la main sur l'épaule.*

Comment pouvez-vous lire à présent? Il fait nuit.

Il tressaille, se retourne, la voit là tout près, fait un geste d'effroi,
baisse la tête. Un long silence. Puis, dans l'ombre complètement
venue, elle dit avec lenteur, joignant les mains:

Et pendant quatorze ans, il a joué ce rôle
D'être le vieil ami qui vient pour être drôle!

---

1. Métier: métier à tisser.

CYRANO

Roxane !

ROXANE

C'était vous.

CYRANO

Non, non, Roxane, non !

ROXANE

J'aurais dû deviner quand il disait mon nom !

CYRANO

Non ! ce n'était pas moi !

ROXANE

C'était vous !

CYRANO

Je vous jure…

ROXANE

J'aperçois toute la généreuse imposture :
Les lettres, c'était vous…

CYRANO

Non !

ROXANE

Les mots chers et fous,
C'était vous…

CYRANO

Non !

ROXANE

La voix dans la nuit, c'était vous !

CYRANO

Je vous jure que non !

ROXANE

L'âme, c'était la vôtre !

CYRANO

Je ne vous aimais pas.

ROXANE

Vous m'aimiez !

CYRANO, *se débattant.*

C'était l'autre !

ROXANE

Vous m'aimiez !

CYRANO, *d'une voix qui faiblit.*

Non !

ROXANE

Déjà vous le dites plus bas !

CYRANO

Non, non, mon cher amour, je ne vous aimais pas !

ROXANE

Ah ! que de choses qui sont mortes… qui sont nées !
Pourquoi vous être tu pendant quatorze années,
Puisque sur cette lettre où, lui, n'était pour rien,
Ces pleurs étaient de vous ?

Edmond Rostand, *Cyrano de Bergerac* [1897], acte V, scène 5,
Belin-Gallimard, « Classico », 2011.

Interview imaginaire de Pierre Corneille

▶▶▶ *Racontez-nous votre enfance. Étiez-vous destiné au théâtre dès votre plus jeune âge ?*

Non, apparemment rien ne me destinait au théâtre. Je suis né le 6 juin 1606, à Rouen, dans une famille aisée. Mon père était avocat et ma famille m'a toujours incité à suivre cette voie. J'ai prêté serment le 18 juin 1624 pour faire plaisir à mon père. Mais, au fond, ce métier ne m'intéressait pas vraiment. Je préférais aller voir jouer les comédiens au théâtre et me consacrer à la rédaction de pièces de théâtre ou de vers, en latin, discipline dans laquelle j'excellais.

**Pierre Corneille
(1606-1684)**

▶▶ **Comment avez-vous finalement réussi à vivre de votre passion pour le théâtre ?**

Vous savez, rien n'a été facile, mais j'ai su saisir une opportunité qui s'est avérée capitale pour la suite de ma carrière. Alors que je résidais à Rouen, j'ai eu la chance de rencontrer un célèbre comédien de l'époque, Mondory. J'ai tout de suite vu dans cette rencontre la possibilité pour moi de réaliser mon rêve. Je lui ai alors proposé de jouer la pièce à laquelle je venais de mettre un point final, *Mélite*. C'était en 1629. Après l'avoir lue, Mondory m'a donné son accord. Il a joué ma comédie avec sa troupe, à Paris. Cette représentation a été un succès qui m'a ouvert les portes de la création dramatique. À partir de ce moment, je me suis consacré à l'écriture de pièces de théâtre pour cette troupe, principalement des comédies, qui ont toutes rencontré un certain succès : *Clitandre* (1630), *La Galerie du palais*, *La Suivante*, *La Place royale* (de 1631 à 1634).

▶▶ **Quel a été le véritable tournant dans votre carrière ?**

Un jour, le roi Louis XIII en personne est venu assister à la représentation d'une de mes pièces, qu'il a d'ailleurs beaucoup appréciée. Puis, en 1635, le cardinal Richelieu, homme très influent alors ministre du roi, m'a accordé une pension, c'est-à-dire une somme d'argent pour aider à la création littéraire et artistique. Il m'a également proposé d'intégrer un groupe d'auteurs reconnus et qui étaient chargés d'illustrer la grandeur du théâtre français. Bien entendu, j'ai accepté ! Et on peut dire qu'à compter de ce moment, je suis vraiment entré dans la cour des « grands ».

▶▶ **C'était deux ans avant Le Cid... Quelle place tient cette pièce dans votre parcours professionnel ?**

Le Cid tient une place particulière dans ma carrière. En effet, jusqu'ici, je m'étais surtout illustré dans le genre de la comédie et, pour la première fois, je m'essayais à un genre jugé plus noble, celui de la tragi-comédie. J'ai alors cherché des sources d'inspiration dans une pièce écrite en 1618 par l'auteur espagnol Guilhem de Castro et intitulée *Las Mochedades del Cid*. Le sujet de ce drame est inspiré du récit légendaire d'un chevalier du XIᵉ siècle, héros de batailles contre les Maures, et surnommé le « *Cid Campeador* ». L'histoire raconte qu'il a épousé la fille d'un homme qu'il avait tué en duel. Cette histoire d'amour impossible entre une jeune femme et l'assassin de son père me semblait pouvoir provoquer une sensation forte chez les spectateurs. Et je ne me suis pas trompé : le triomphe de la pièce a été immédiat !

▶▶ **Pourtant, vous avez connu des critiques nombreuses et parfois violentes... Comment avez-vous réagi ?**

En effet, dès la première représentation de la pièce, et malgré son succès auprès du public, des critiques se sont fait entendre. Elles furent si nombreuses et si violentes qu'elles ont donné lieu à ce que l'on a alors appelé la « Querelle du Cid ». Certains critiques de l'époque, parmi les plus influents, m'ont en effet reproché d'avoir plagié la pièce de Guilhem de Castro. Ils m'ont également accusé d'invraisemblance et d'immoralité. Le personnage de Chimène, notamment, a déchaîné les passions : le fait qu'une jeune femme puisse épouser l'assassin de son père fut jugé contraire à la morale et à la bienséance.

Pour comprendre ces critiques, il faut savoir que le théâtre était à l'époque un art en plein essor qui n'obéissait pas encore à des règles précises. Or, au même moment, des théoriciens ont commencé à élaborer un certain nombre de règles strictes. Ces règles étaient censées répondre aux exigences de l'esthétique classique alors dominante et qui se caractérisait par une recherche d'ordre, de clarté et de beauté régulière. C'est ainsi qu'ont vu le jour de nombreux traités sur les règles à respecter en littérature, en peinture, en architecture et, bien sûr, au théâtre. Les détracteurs du *Cid* ont saisi l'opportunité de défendre leur conception du théâtre classique en attaquant ma pièce. D'un côté, je peux les remercier car, grâce à eux, la pièce a beaucoup fait parler d'elle et ils ont ainsi, indirectement, contribué à son succès. D'un autre côté, je trouvais leurs reproches assez injustes, c'est pour cette raison que j'ai formulé une réponse à leurs accusations, afin de défendre l'originalité de ma création.

Finalement, Richelieu a dû intervenir pour apaiser le conflit. Il a confié l'examen de ma pièce à l'Académie française qu'il venait de fonder. Suite à cela, j'ai proposé une nouvelle version du *Cid* en 1660, sous-titrée «tragédie», alors que la première était sous-titrée «tragi-comédie». J'ai encore légèrement remanié le texte en 1682 et c'est cette version de la pièce que vous venez d'ailleurs de lire!

▶▶▶ *Cet épisode a-t-il signé un coup d'arrêt dans votre carrière?*

Non, on ne peut pas dire qu'il m'ait pénalisé car j'ai poursuivi ma carrière avec succès. Dans les années qui suivirent, j'ai démontré que je pouvais me plier aux exigences classiques avec des pièces comme *Horace* (1640), *Cinna* (1642) ou *Polyeucte* (1643). À la mort de Richelieu, son successeur, Mazarin, a reconduit ma pension. Je bénéficiais encore de sa protection jusqu'à la représentation de *Pertharite* (1651) qui a été mal accueillie par le nouveau pouvoir en place, celui du roi Louis XIV. Après quelques années de création moins dense, je suis revenu au théâtre vers 1659 grâce à Fouquet, ministre et mécène qui finançait de nombreux artistes. Il m'offrait la possibilité de vivre plus confortablement de mon art mais déjà mes créations connaissaient moins de succès. Tandis que je faiblissais, un jeune dramaturge, Jean Racine, commençait à se faire connaître avec des pièces couronnées de succès comme *Alexandre le Grand* (1665), qui lui valurent le soutien de Louis XIV, ou *Bérénice* (1670). C'est lui qui a prononcé mon éloge à la Comédie-Française un an après ma mort, en 1684.

Autour de l'œuvre

Contexte historique et culturel

❀ Louis XIII et la centralisation du pouvoir

Alors qu'il est âgé de neuf ans, Louis XIII se voit sacrer roi après l'assassinat de son père, Henri IV, en 1610. Comme il n'est pas encore formé à l'exercice du pouvoir politique, sa mère, Marie de Médicis, aidée par ses proches, règne jusqu'en 1617. On donne à cette période le nom de Régence. L'autorité monarchique n'est pas bien assise et demeure fragile. C'est dans ce contexte défavorable que Louis XIII monte sur le trône, à 16 ans. Il doit pacifier le royaume et s'efforcer de centraliser le pouvoir. En effet, la France a déjà beaucoup souffert de guerres civiles religieuses et s'en est trouvée affaiblie. À cela s'ajoutent les contestations récurrentes de princes influents du royaume. Pour parvenir à ses fins, Louis XIII s'entoure d'un homme puissant, le cardinal de Richelieu, qui deviendra son principal ministre. Richelieu prend une décision importante pour rétablir l'ordre dans le pays : il interdit le duel en 1626 pour éradiquer cette pratique qui fait perdre au royaume de nombreux hommes. Dans *Le Cid*, Corneille fait référence à cette loi puisqu'il met en scène deux duels.

En 1635, Louis XIII s'engage dans la guerre de Trente Ans (1618-1648) aux côtés des Provinces-Unies des Pays-Bas et des États protestants allemands contre les Habsbourg d'Espagne, notamment. Dans sa pièce, Corneille fait là aussi une allusion à l'actualité de son temps quand il évoque le combat de Rodrigue contre les Maures, en Espagne.

❀ Richelieu et le goût du théâtre

Le cardinal de Richelieu a bien compris que, pour renforcer le pouvoir monarchique, il fallait le magnifier. Cette entreprise de glorification doit, selon lui, passer par les arts. Il s'intéresse donc aux artistes de nombreux domaines : architecture, peinture, théâtre... Leur mission première est de se mettre au service du pouvoir de Louis XIII. C'est pour cette raison que voit le jour en 1635 l'Académie française dont l'objectif est de codifier la langue française et de développer la culture française. Le théâtre, très en vogue en Angleterre, est également apprécié en France. Ce genre littéraire trouve son essor au XVIIe siècle grâce à l'intérêt que lui porte Richelieu. Il voit en cet art une formidable occasion de célébrer le pouvoir royal. C'est pourquoi le cardinal fait construire un nouveau théâtre à Paris, le théâtre du Marais, où sont jouées les pièces de Corneille. Il accorde également des pensions à certains auteurs dramatiques et réunit ceux qu'il juge les meilleurs sous le nom de « la société des cinq auteurs ». Ils doivent divertir le public parisien, rendre hommage au roi Louis XIII et promouvoir le théâtre français. Grâce à ces mesures, on assiste à une multiplication des représentations, suivies par un public toujours plus nombreux.

❋ Le théâtre à l'époque de Corneille

Comme le théâtre doit désormais être à l'image du pouvoir, il lui faut des règles précises et claires. Cette réflexion théorique va modeler le paysage théâtral du XVIIe siècle. Alors qu'on appréciait la tragi-comédie, qui mêle les genres de la tragédie et de la comédie en proposant une fin heureuse et en multipliant les rebondissements et les coups de théâtre, on commence à critiquer son absence de règles, ses situations invraisemblables. Progressivement, on lui préfère la tragédie, jugée plus sérieuse. Le Cid constitue un tournant décisif dans cette évolution. D'un côté, c'est un triomphe pour le public habitué des tragi-comédies, d'un autre côté, certains critiques condamnent violemment la pièce. Corneille est par exemple accusé de plagiat. Ces adversaires évaluent moins le plaisir procuré par la représentation d'un amour impossible que la conformité avec les règles dites « classiques ». Au nombre de trois, les règles d'unité exigent qu'il n'y ait qu'une seule intrigue, qui se déroule en une seule journée et en un seul lieu. À celles-ci s'ajoute la règle de bienséance qui veut qu'on ne montre ni mort ni acte violent sur scène. Dans sa pièce, Corneille ne respecte pas vraiment l'unité de l'action en proposant une intrigue secondaire autour de l'Infante. En outre, il est impossible que Rodrigue puisse accomplir tous ses exploits en vingt-quatre heures (tuer le Comte, combattre les Maures, affronter don Sanche...). La règle d'unité de lieu est quant à elle détournée puisque l'intrigue

La première représentation du *Cid* de Pierre Corneille, gravure sur bois, XVIIe siècle.

se déroule dans différents lieux à Séville. Enfin, la bienséance est mise à mal avec la rencontre des amants ennemis, Chimène et Rodrigue : à la scène 4 de l'acte III, le meurtrier ose en effet se rendre chez sa victime. La querelle autour du *Cid* s'envenime tellement que Richelieu intervient pour demander à l'Académie française d'examiner la pièce. Le critique influent de l'époque, Chapelain, est également sollicité pour rendre son avis sur la pièce. Pour répondre à ces accusations, Corneille est contraint, en 1660, de publier une seconde version du *Cid*, plus conforme aux règles classiques. Cet épisode marque un tournant dans l'histoire du théâtre puisqu'il voit ériger en principes les règles classiques qui régiront le théâtre durant plusieurs siècles.

Repères chronologiques

1598	**Édit de Nantes** (fin des guerres civiles dites de religion).
1606	Naissance de Pierre Corneille, à Rouen.
1610	**Assassinat du roi Henri IV et début de la régence de Marie de Médicis, mère de Louis XIII.**
1617	**Début du règne personnel de Louis XIII.**
1624	**Le cardinal de Richelieu est choisi comme principal ministre par Louis XIII.**
1629	Premier succès de Pierre Corneille au théâtre avec sa pièce *Mélite*.
1635	**Entrée en guerre de la France dans la guerre de Trente ans (1618-1648).** **Fondation de l'Académie française par Richelieu.**
1637	Première représentation du *Cid* de Pierre Corneille.
1639	Naissance de Jean Racine (théâtre).
1640	*Horace* de Pierre Corneille (théâtre).
1642	**Mort de Richelieu.** *Cinna* de Pierre Corneille (théâtre).
1643	**Mort de Louis XIII. Sa femme, Anne d'Autriche, assure la régence. Mazarin devient le principal ministre.**
1660	Parution de la deuxième version du *Cid* écrite par Pierre Corneille.
1661	**Début du règne personnel de Louis XIV.**
1662	*L'École des femmes* de Molière (théâtre).
1670	*Tite et Bérénice* de Pierre Corneille (théâtre). *Bérénice* de Jean Racine (théâtre). *Suréna*, dernière pièce de Pierre Corneille.
1684	Mort de Pierre Corneille.
1685	**Révocation de l'Édit de Nantes.**

Les grands thèmes de l'œuvre

Le conflit de l'amour et de l'honneur

Le dilemme

Pour qu'une tragédie soit réussie, il faut que s'exprime un conflit important qui place le héros dans une situation inextricable, dans une impasse, face à un dilemme. Pour créer une émotion intense chez le spectateur, Corneille recherche une situation exceptionnelle qui puisse fasciner le public. Il trouve dans la pièce originale de Guilhem de Castro, *Las Mochedades del Cid*, tous les ingrédients pour satisfaire son exigence : Chimène est déchirée entre son amour pour Rodrigue et le devoir familial qui l'oblige à demander la condamnation de l'assassin de son père. Rodrigue doit venger son père qui a été offensé mais désespère de perdre ainsi Chimène. Le choix effectué par Rodrigue à la fin de l'acte I l'oblige finalement à renoncer à son amour.

L'expression des sentiments

Corneille cherche à montrer aux spectateurs les conflits intérieurs douloureux auxquels sont exposés ses personnages. Pour cela, il privilégie le monologue, moment de réflexion important qui suspend le rythme de l'action pour montrer le héros face à une difficulté : don Diègue confronté à son impuissance à se venger de l'affront subi (acte I, scène 4), Rodrigue devant choisir entre l'amour et l'honneur (acte I, scène 6), l'Infante déchirée entre son amour et son devoir (acte I, scène 2 et acte IV, scène 2)... Corneille a recours également aux stances (vers irréguliers) qui constituent des pauses lyriques lors desquelles s'expriment les émotions des personnages (acte I, scène 6). Enfin, la confidente joue aussi un rôle décisif dans les intrigues amoureuses comme le montrent Elvire, qui ouvre le premier acte et qui assiste à tous les entretiens entre Chimène et Rodrigue, ou Léonor, qui écoute les tourments de l'Infante. Elle est l'oreille attentive souvent sollicitée par sa maîtresse et qui permet d'éviter de multiplier les apartés.

L'exigence de la vertu

La vertu sans faille des héros de la pièce de Corneille est héritée de l'idéal chevaleresque. Pour preuve, le dramaturge emprunte le personnage principal de sa pièce à l'histoire médiévale espagnole: celui qu'on a surnommé le «*Cid*» était en fait un chevalier du XIe siècle, Rodrigo Díaz de Bívar, qui s'est illustré dans de nombreuses batailles. Dans la pièce, les héros souhaitent obtenir la satisfaction de leur «gloire» (voir v. 123, 332, 842, etc.) plus que celle de leur amour. En ce sens, leur dilemme n'est pas insoluble mais seulement difficile et douloureux. Pour être à la hauteur l'un de l'autre, les amants doivent paradoxalement se venger de la personne qu'ils aiment et se montrer inflexibles: ils doivent s'égaler en vertu et se rendre admirables aux yeux de l'autre. Ainsi Chimène affirme-t-elle à Rodrigue à la scène 4 de l'acte III: «ma générosité doit répondre à la tienne» (v. 930). Cette quête perpétuelle de la vertu et de l'honneur – c'est là le sens du mot «générosité» au XVIIe siècle – oblige les amants à s'affronter et explique l'acharnement que manifeste Chimène jusqu'à la fin de la pièce à exiger la condamnation de Rodrigue.

La dimension politique de la pièce

Le dévouement du héros pour défendre l'État

Mais la pièce de Corneille ne se résume pas à une intrigue amoureuse. La bataille contre les Maures est un épisode central. Don Diègue, voyant son fils prêt à mettre fin à ses jours face au désespoir de sa situation amoureuse, suggère à Rodrigue de mourir héroïquement au combat. Ainsi, c'est guidé à la fois par son amour pour Chimène et par l'amour de la patrie que Rodrigue se lance dans la bataille. Il combat de la manière dont l'exige son rang, avec vaillance et grandeur, et met tout son «cœur», c'est-à-dire son courage, au service de l'État. Dès lors, le destin du héros et celui de l'État sont étroitement liés. Ainsi, la victoire de Rodrigue sur les Maures lui permet de repousser l'ennemi, de sauver le royaume et, simultanément, lui offre une reconnaissance inouïe. Grandi par ses conquêtes, il revient du combat contre les Maures couronné de lauriers et acclamé par tous sous le nom de « Cid » (v. 1222), de « seigneur ». Son dévouement héroïque lui permet ainsi d'accroître sa renommée, si bien que l'Infante trouve son amour pour lui presque légitime : bien qu'il ne soit pas fils de roi, il a su se montrer digne. Cette victoire permet également à Rodrigue d'obtenir les faveurs du Roi et, probablement même, de susciter sa clémence dans le conflit qui l'oppose à Chimène.

La figure du roi

Le Cid est une pièce très marquée par l'arrière-plan politique. Le roi don Fernand, mentionné dès la première scène et présent à plusieurs reprises, joue un rôle capital. Il incarne en effet l'autorité face à la violence incontrôlée du Comte et à l'impulsivité des autres personnages. Il fait régner l'ordre et perçoit le temps non comme une contrainte mais comme une solution. Ainsi, il demande à Chimène de laisser faire le temps, là où le Comte exige que ses mérites soient immédiatement reconnus et là où don Diègue souhaite être vengé sur-le-champ. Le Roi est donc à la fois la figure de l'autorité, le médiateur entre tous les personnages, et le juge qui parvient à résoudre le dilemme. En différant le mariage de Rodrigue et Chimène, il offre aux amants une issue heureuse.

Fenêtres sur...

📚 *Des ouvrages à lire*

D'autres pièces de Corneille

• Pierre Corneille, *L'Illusion comique* [1636], Gallimard, « La Bibliothèque Gallimard », 2000.
Pierre Corneille présente cette pièce, jouée un an avant Le Cid, comme « un étrange monstre » car elle mélange les genres dramatiques de la comédie et de la tragédie. Pridamant est un homme désespéré qui cherche à obtenir des nouvelles de son fils disparu, Clindor. Un jour, il rencontre Dorante, un magicien talentueux, qui lui propose de lui montrer ce qu'est devenu son fils. Une pièce étonnante par sa virtuosité.

• Pierre Corneille, *Suréna* [1674], Gallimard, « Folio théâtre », 1999.
Cette pièce est la dernière écrite par Pierre Corneille. Elle met en scène Suréna, homme vaillant qui parvient à sauver le royaume des Parthes. Mais le roi se méfie de lui : jugé trop glorieux, capable à lui seul de renverser un royaume, Suréna doit mourir ou épouser la fille du roi. L'une des plus belles tragédies de Corneille, et sans doute aussi la plus originale.

Une bande dessinée sur l'Espagne du xiie siècle

William Vance et Jacques Stoquart, *Ramiro – L'intégrale* [1970],
t. 1, Dargaud, « Tout Vance », 2005.
*Découvrez les aventures de Ramiro, jeune et vaillant chevalier,
à l'époque de la* Reconquista *et des guerres entre chrétiens et Maures
en Espagne…*

Des œuvres sur la France du xviie siècle

• Alexandre Dumas, *Les Trois Mousquetaires*, Gallimard Jeunesse,
« Folio Junior Textes classiques abrégés », 2010.
*Ce chef-d'œuvre d'Alexandre Dumas plonge le lecteur au cœur de
l'histoire de France. Le roi Louis XIII demande à son épouse de porter
le collier qu'il lui a offert pour le bal qu'il va donner. Mais cette dernière l'a remis en cadeau à son amant. Les quatre mousquetaires vont
devoir enquêter pour retrouver le bijou. Au cours de leurs aventures,
Athos, Porthos, Aramis et d'Artagnan risquent de se heurter à l'influent
cardinal de Richelieu…*

• Isabelle Duquesnoy, *Anne, fiancée de Louis XIII – Journal
d'une future reine de France, 1615-1617*, Gallimard Jeunesse,
« Mon histoire », 2012.
*En 1617, Louis XIII commence son règne personnel. Il épousera bien-
tôt une jeune femme espagnole, Anne d'Autriche. Isabelle Duquesnoy
raconte, sous la forme d'un journal intime, les sentiments, les doutes
et les joies de la future reine au sujet de son mariage.*

• Jean-Paul Mongin et François Schwoebel, *Le Malin Génie
de monsieur Descartes*, Les Petits Platons, 2012.
*Ce bref livre illustré raconte la journée du philosophe René Descartes
qui publia en 1637, la même année que la première représentation du
Cid, Le Discours de la méthode. Une journée d'hiver, le philosophe
commence à douter progressivement de tout, si bien qu'il pense être
victime d'un mauvais génie… Cette lecture permet de prendre de
la hauteur et de découvrir le contexte culturel de l'époque de Pierre
Corneille.*

Fenêtres sur...

Une adaptation du *Cid* en bande dessinée

Oliv', Jean-Louis Mennetrier et Christophe Billard, *Le Cid*,
une tragédie de Pierre Corneille, Darnétal, «Petit à petit», 2006.
*Cette bande dessinée est une adaptation très intéressante de la pièce
de Pierre Corneille. Les dessins en noir et blanc permettent de suivre
les aventures de Rodrigue et de Chimène et aident à comprendre certains enjeux de l'intrigue.*

Le numéro d'une revue consacrée au *Cid*

Virgule, n° 73, éditions Faton, avril 2010.
*Cette revue, destinée aux 10-15 ans, propose un dossier complet sur
Le Cid. Une mine d'or pour les exposés!*

▦ *Une mise en scène et des films à voir*

(Toutes les œuvres citées ci-dessous sont disponibles en DVD.)

Une mise en scène du *Cid*

Le Cid, mise en scène de Thomas Le Douarec, avec Gilles Nicoleau
et Noémie Daliès, théâtre de la Madeleine, Paris, 1999.
*Thomas Le Douarec propose une version du Cid étonnante: le metteur
en scène accompagne en effet le texte de Pierre Corneille de guitare
et de flamenco, renouant ainsi avec l'origine espagnole de la pièce.*

Des adaptations du *Cid* au cinéma

• *Le Cid*, film d'Anthony Mann, avec Charlton Heston dans le rôle
de Rodrigue et Sophia Loren dans le rôle de Chimène, 1961.
*Le film retrace l'histoire devenue légendaire du chevalier Rodrigo Diaz
de Bivar, aussi appelé le «Cid Campeador». Il montre ses exploits guerriers pour conquérir le royaume de Valence, ses combats contre les
Maures, ainsi que l'épisode du duel contre le père de Chimène, que l'on
retrouve dans la pièce de Corneille.*

• *La Légende du Cid*, film d'animation de José Pozo, 2003.
Ce film d'animation espagnol s'inspire de certains épisodes de la vie du chevalier Rodrigo Diaz de Bivar mais s'écarte parfois de la légende historique. Représentés dans des proportions gigantesques, les héros sont ainsi mis en valeur et le réalisateur souligne leur extraordinaire destin.

Un film pour découvrir l'Espagne du XVIIᵉ siècle

Le Capitaine Alatriste d'Agustin Diaz Yanès,
avec Viggo Mortensen, 2008.
Ce film évoque la vie de Diego Alatriste, un soldat au service du roi d'Espagne, Philippe IV, malmené par une cour corrompue et par le duc Olivarès, qui conspire pour affaiblir le pouvoir royal.

🏛 *Des œuvres d'art à découvrir*

(Toutes les œuvres citées ci-dessous peuvent être vues sur Internet.)

• Diego Velasquèz, *La Reddition de Breda ou les Lances*,
huile sur toile, 1634-1636, musée du Prado, Madrid, Espagne.

• Juan Cristobal, *Le Cid campeador*, statue équestre, place Mio Cid, Burgos, Espagne.

Notes

Notes